El origen del deseo

El origen del deseo

Noelia Amarillo

TERCIOPELO

Primera edición en este formato: enero de 2016

Av. Marquès de l'Argentera 17, pral.
08003 Barcelona.
info@terciopelo.net
www.terciopelo.net

Impreso por LIBERDÚPLEX, s.l.u.
Crta. BV-2249, km 7,4, Pol. Ind. Torrentfondo
Sant Llorenç d'Hortons (Barcelona)

ISBN: 978-84-15952-89-3
Depósito legal: B. 26.551-2015
Código IBIC: FP; FRD

El papel utilizado para la impresión de este libro ha sido fabricado a partir de madera procedente de bosques y plantaciones gestionados con los más altos estándares ambientales, garantizando una explotación de los recursos sostenible con el medio ambiente y beneficiosa para las personas. Por este motivo, Greenpeace acredita que este libro cumple los requisitos ambientales y sociales necesarios para ser considerado un libro «amigo de los bosques». El proyecto «Libros amigos de los bosques» promueve la conservación y el uso sostenible de los bosques, en especial de los Bosques Primarios, los últimos bosques vírgenes del planeta.

RT52893

Puedo oler su excitación.

Alzo la cabeza y husmeo el aire sin importarme que las personas que recorren la calle me miren como si fuera un bicho raro. En realidad lo soy.

Paladeo el sabor lúbrico de su vergüenza, de su excitación, de su turbación. Muevo con inquietud la lengua dentro de la boca, rozo con ella los dientes, me deleito en el dolor que siento al presionarla contra los colmillos y por fin la dejo asomar al exterior. Me humedezco los labios, impregnándolos de la libidinosa esencia que flota en el aire.

Está cerca. Lo sé. Lo siento.

Los efluvios de su estigma llegan hasta mí y enardecen mis sentidos, haciéndome jadear de placer cuando el deseo se adueña de mí. Mis pupilas se dilatan presas de la fiebre carnal que me recorre. Mi visión se torna roja. Mi olfato se agudiza.

Debo encontrar el origen de ese deseo. Debo satisfacer mi anhelo.

Parpadeo hasta que consigo liberar mis ojos del velo de lujuria que los colorea y aprieto los puños. Las uñas me desgarran las palmas derramando lágrimas carmesíes que se deslizan lentamente hasta mis muñecas. El dolor calma mi hambre. También me excita. Niego con la cabeza a la vez que me muerdo con fuerza los labios hasta que la razón regresa a mí. No puedo dejarme llevar por el placer. Todavía.

A mi alrededor la gente se detiene y me observa. No debo llamar más la atención. Saco del bolsillo del pantalón un pañuelo rojo de seda salvaje y limpio con él la sangre que he derramado por mor del control. Miro con sorna a los que me rodean y, haciendo una elaborada floritura, les indico que el espectáculo ha acabado. Por ahora.

Camino guiándome por la esencia turbada y lasciva que arrastra la brisa y que nadie más puede sentir. Solo yo. La impaciencia me corroe, el deseo me llama, me atraviesa, me endurece, me hace jadear. Estoy cerca de mi presa. Cierro los ojos e inspiro. Cuando los abro sé exactamente dónde está. Sonrío. Pronto será mío.

Deseo

20 de junio de 2008

No existía un lugar más hermoso ni más excitante que Italia. Al menos no para Eberhard.

Era el solsticio de verano y el Sol parecía decidido a celebrar su triunfo sobre la Luna iluminando con fuerza la plaza de la Señoría. Solo la alargada sombra de la Torre de Arnolfo ofrecía un exiguo refugio del calor abrasador. Inmóvil bajo ella, Eberhard contemplaba embelesado la réplica del *David* de Miguel Ángel. La estatua mostraba al futuro rey de Israel decidido a enfrentarse al gigante filisteo o, al menos, así interpretaba el joven la tensión contenida en su postura, el ceño fruncido y la mirada fija que mostraba el rostro del apuesto hombre pétreo.

Indiferente al enjambre de personas que a esa hora inundaba la emblemática plaza florentina, Eberhard se acercó a la escultura hasta que se topó con las verdes jardineras que la aislaban y extendió el brazo como si quisiera tocar el cálido mármol de Carrara. ¡Qué no daría por poder acariciarlo! Pero no era posible. Bajó la mano y continuó deleitándose con la obra, ya que eso era lo único que podía hacer. Observó el torso liso, en el que destacaban los pequeños pero erguidos pezones. Un tirón de deseo le recorrió el cuerpo indicándole que estaba a punto de perder el control y dejarse llevar por su obsesión. Sacudió la cabeza y se obligó a detener la mirada en los abdominales apenas insinuados de la estatua, esa era una zona segura. Cuando el deseo remitió, examinó la mano de venas hinchadas y uñas perfectamente esculpidas que tocaba el níveo muslo, y fue incapaz de detenerse allí. Ascendió hasta el rizado vello púbico tallado en mármol y acarició con la mirada los testículos lampiños y el pene, que reposaba lánguido sobre ellos.

Y el deseo cayó sobre él, arrollándole, endureciéndole hasta hacerle jadear. Un deseo extraño, indeseado, inapropiado... pero, aun así, imparable.

Eberhard desvió la mirada de la estatua y se cerró la chaqueta para cubrir su erección. Hacía un calor de mil demonios, sí, pero hacía años había aprendido que si quería pasear por Florencia sin llamar la atención, debía hacerlo vestido con algo que cubriera las consecuencias que la visión de las estatuas provocaba en su entrepierna.

Sacudió la cabeza e inspiró con fuerza, necesitaba deshacerse de su incómoda y voluminosa erección. Miró a su alrededor y, con una sonrisa mordaz, se dirigió a la escultura *Hércules y Caco* de Bandinelli. Observó los cuerpos excesivamente musculados de ambos hombres, su postura rígida, la expresión teatral de sus rostros... carecían de alma. Y él jamás había deseado acariciar una estatua sin alma. Su excitación bajó hasta hacerse tolerable. Pero no desapareció. Nunca lo haría. No en Florencia. Pero sí podía moderarla, siempre y cuando consiguiera recuperar el control. Hundió las manos en los bolsillos de la chaqueta y se encaminó hacia una mesa que acababa de quedar libre en la terraza del restaurante Orcagna. Logró sentarse en ella un segundo antes que una pareja de turistas japoneses y, mientras esperaba al camarero, contempló *El rapto de las Sabinas* de Giambologna. La erección que creía domada volvió a tomar fuerza, pero no le importó; estaba sentado.

Nadie se daría cuenta del estado en el que se encontraba. Observó las esculturas situadas en la Logia dei Lanzi y separó las piernas para dar acomodo a su cada vez más rígido pene. Al fin y al cabo para eso estaba allí. Para dar salida al deseo prohibido que le inundaba cada vez que observaba una estatua con alma.

Era un bicho raro. Algo no funcionaba bien en su cabeza. Lo sabía desde que había visitado por primera vez Florencia. Quizá desde antes. Siempre había sentido una extraña atracción por las estatuas, sobre todo si eran de mármol. Pero no fue totalmente consciente de ello hasta que viajó a Roma para celebrar el fin de curso y vio por primera vez *El rapto de Proserpina* de Bernini. Esa misma noche, en la habitación que compartía con sus compañeros de curso, atento a sus respiraciones y acurrucado bajo las mantas, se masturbó mientras imaginaba cómo sería acariciar a Proserpina, sentir el suave tacto del mármol en los dedos, el sabor de la pulida piedra en la lengua, el olor a majestuosa antigüedad que emanaba de la escultura. Y en el mismo instante en que el orgasmo le sacudió hasta el último rincón de sus entrañas, se dio cuenta de hasta qué punto era diferente al resto de las personas.

Durante los siguientes años se esforzó por desterrar de su ser el insólito deseo que sentía y, cuando no lo conseguía, simplemente lo ocultaba. Aprendió a fingir que no sentía nada al observar las esculturas, y se obligó a creer que su imposibilidad para tener relaciones sentimentales se debía a la falta de tiempo y de interés, y no a que era incapaz de excitarse con personas reales, de carne y hueso, que no gozaban de la perfección divina del mármol pulido. En su juventud, anhelando una normalidad que le estaba negada, había follado con mujeres, y también con hombres, intentando alcanzar un placer que le era esquivo; ni siquiera conseguir una erección había sido tarea sencilla. No le bastaba con caricias y besos, necesitaba cerrar los ojos e imaginar que era una estatua a quien tocaba, a quien besaba, a quien penetraba. Y todo para acabar sintiéndose poco menos que un monstruo que engañaba a sus eventuales parejas con inertes seres de piedra. Asqueado, dejó de intentar follar con personas reales, enterró su fascinación por las estatuas bajo capas y capas de normalidad y se negó a satisfacer el extraño deseo que le dominaba. Pero este se abrió camino visitándole en sueños cada noche, obsesionándole hasta que entendió que no podía continuar ignorándolo eternamente. Desde entonces acudía a Italia cada solsticio de verano y permanecía allí durante dos únicos días. Cuarenta y ocho horas en las que se rendía a su obsesión y se permitía ser él mismo. Dos mil ochocientos ochenta minutos en los que se torturaba durante el día observando las estatuas que anhelaba acariciar, para, al llegar la noche, recordar minuciosamente cada perfil tallado en mármol mientras se masturbaba violentamente una y otra vez.

Cada año iniciaba su viaje en Florencia. Pasaba la mañana recorriendo las calles y deleitándose con las esculturas que parecían brotar en cada rincón de la hermosa ciudad mientras dejaba que su deseo fuera aumentando poco a poco, hasta que, con la llegada de la tarde, acudía por fin a la Galería de la Academia y se enfrentaba cara a cara con el pétreo *David*. Tanta belleza contenida en un bloque de mármol, tanta genialidad, tanta alma. Permanecía ante él, inmóvil mientras el deseo se apoderaba de su cuerpo, de sus sentidos, y, cuando no podía soportarlo más, regresaba al hotel y allí daba rienda suelta a sus más íntimas fantasías. Pero ni siquiera los múltiples orgasmos que sus manos le proporcionaban durante la noche conseguían mitigar la lujuria que amenazaba con desbordarle cuando a la mañana siguiente bajaba del avión y pisaba la Ciudad Eterna. La ciudad en la que se funden pasado, presente y futuro.

Todos los caminos llevan a Roma, pero, para Eberhard, todos los caminos conducían a un único lugar: la Galería Borghese. Allí era donde estaba la dueña de todos sus sueños. El amor imposible que lo atormentaba cada segundo de su existencia. Proserpina. Etérea, dulce, asustada, combativa... perfecta en sus formas y detalles. Apenas podía esperar a coger un taxi que le llevara hasta donde ella se hallaba. Apenas podía ocultar, mucho menos sofocar, la ansiedad que lo colmaba al saber que pronto volvería a verla. El sudor perlaba su frente; sus manos temblaban, ávidas por sentir el tacto de lo que jamás podría acariciar como realmente deseaba; su respiración se aceleraba y, bajo los pantalones, su pene erecto palpitaba exaltado a la vez que sus tensos testículos emitían dardos de dolor y deseo. Y cuando por fin llegaba a ella, permanecía extasiado durante horas, observándola, deseándola, amándola... hasta que la Galería cerraba y era obligado marcharse. Entonces, atravesaba Roma sin ser consciente de lo que le rodeaba y, encerrado en su habitación, pasaba la noche con ella, retozando en sueños mientras imaginaba que las manos que le acariciaban eran las de ella. Cálido mármol sobre blanda piel.

Cuarenta y ocho horas de suplicio, lujuria y pasión al año. Dos días en los que daba rienda suelta a su verdadero ser, deseando que bastaran para sofocar su aberrante obsesión y mantenerse cuerdo durante los trescientos sesenta y tres días restantes. Y había funcionado, al menos durante un tiempo... pero ya no era suficiente. Ya no podía continuar fingiendo que era un hombre normal, porque algo había cambiado.

Se había enamorado.

Hacía apenas cuatro meses que había conocido a Sofía, su Proserpina particular, durante una actuación de los Spirits, el grupo en el que él era guitarrista. En el mismo momento en que sus ojos se posaron sobre ella, supo que estaba perdido. Su físico de formas rotundas le recordaba a las estatuas femeninas de la época clásica, la blancura de su piel se asemejaba al más puro mármol de Carrara y los suaves tirabuzones en los que se distribuía su cabello castaño eran dignos de la mismísima Proserpina. No obstante, había intentado mantenerse alejado, sabedor de que, por mucho que le atrajera físicamente, llegado el momento de la verdad tendría que imaginar que era otra mujer, pétrea, la que ocupaba su lugar. Hacía años que había aprendido que el coste emocional que le suponía engañar a una mujer no se compensaba con el exiguo placer que le reportaba un simple y trabajoso polvo. Pero no había contado con enamorarse de Sofía. De su acogedora dulzura, de su inteligencia ágil y preclara, de su manera de ver, sentir y disfrutar la vida. Era la mujer perfecta. Y su corazón anhelante y su alma enferma habían caído de rodillas ante ella. No habían pasado un solo día en que no se vieran desde aquella primera actuación... Hasta ese momento.

Y allí estaba ahora, en Florencia, excitado por la visión de unas cuantas estatuas. Separado más de mil kilómetros de su amada por culpa de su perversa obsesión. Una obsesión que pronto le obligaría a engañarla, porque antes o después Sofía le obligaría a dar un paso más en su relación. Un paso que él se veía incapacitado de dar, pero que ella, pasional como era, le reclamaba cada vez con mayor insistencia. Al fin y al cabo eran adultos, estaban enamorados, y el sexo era la consecuencia lógica del amor.

—*Sembri molto assorto nei tuoi pensieri.*

Eberhard sacudió la cabeza al oír la voz. Había estado tan ensimismado en sus pensamientos que no se había dado cuenta de que alguien se había sentado a su mesa. Alguien muy extraño.

—¿Perdona? —dijo, y luego se acordó de añadir—: No *parlo* italiano. —Era lo único que sabía decir en ese idioma, y la frase ni siquiera era correcta.

El extraño personaje esbozó una media sonrisa que solo consiguió hacer más enigmático su rostro.

—Ah, español. Decía que pareces muy pensativo —explicó en un castellano que sería perfecto si no fuera por su chocante acento.

Eberhard lo miró atónito. ¿Quién era ese tío y por qué se había sentado a su mesa?

—¿Nos conocemos? —preguntó, más por educación que por necesidad. Estaba seguro de no haber visto a aquel ser en su vida.

—No, pero este es un momento tan bueno como otro para conocernos. Mi nombre es Karol, con «K», y significa Carlos —se apresuró a explicar antes de que comenzaran las preguntas sobre por qué tenía un nombre femenino—. ¿Y tú eres...?

—Eberhard —respondió él perplejo por la desfachatez del tipo y por su insólita apariencia.

—Encantado de conocerte, Eber. Espero que no te moleste que te llame así. No me gustan especialmente los nombres largos, y tengo la sensación de que tú me puedes llegar a gustar mucho.

—¿Perdona? —¿De qué manicomio se había escapado ese loco?

—¿Aún no has pedido nada? —Karol llamó la atención del camarero con un gesto y, cuando este hizo ademán de dirigirse a la mesa, le detuvo levantando dos dedos que hizo girar en el aire. El camarero asintió con la cabeza y entró en el restaurante—. Espero que te guste el amaro con tónica.

—¿Qué? —¿Pero qué se había pensado ese tipo? En primer lugar era imposible que hubiera pedido nada, el camarero ni siquiera se había acercado. Y en segundo lugar… no eran ni las doce del mediodía, no pensaba beber alcohol tan pronto. ¿Acaso pretendía emborracharle?

—Deberíamos tomarlo después de comer, pero, francamente, no tengo hambre sino sed —comentó sacando un cigarrillo de una pitillera dorada. Eberhard observó atónito sus largas uñas, cada una pintada de un llamativo color y decorada con llamitas negras—. ¿Te apetece uno?

—No fumo.

—Yo tampoco suelo hacerlo; de hecho, odio el olor del tabaco. Me prohibieron fumar de joven y yo era un muchacho demasiado sumiso para desobedecer, craso error. No obstante, hoy he decidido que quiero intoxicarme un poco. Fumar es un vicio muy feo, y a mí me encantan los vicios… cuanto más feos, mejor. —Karol esbozó una sonrisa lasciva y encendió el cigarro; un instante después exhaló el humo formando círculos perfectos—. Ah, ya está aquí mi camarero favorito. —Un hombre joven, uniformado con pantalones negros, e impecables camisa y mandil blancos, dejó sobre la mesa la bebida solicitada—. *Grazie*, Pietro —musitó sacando un billete de cincuenta euros de su cartera e introduciéndoselo al camarero en el bolsillo de la camisa antes de despedirle haciendo un gesto con la mano—. En España dicen «las cosas bien hechas bien parecen», ¿verdad? Pietro es un gran *cameriere*, siempre sabe lo que quiero, no hacen falta palabras con él. —Arqueó las cejas, y, sin esperar una respuesta, continuó hablando—. No hay nada más hermoso que Florencia bendecida por Apolo, ¿no crees? Brindemos por ello —dijo levantando su vaso de amaro.

Eberhard abrió la boca dispuesto a exigirle que abandonara su mesa ya que en ningún momento le había invitado a sentarse, pero se lo pensó mejor. No perdía nada por tomarse una copa con un desconocido y seguir luego su camino. Así que tomó su vaso y lo hizo chocar con el del hombre sentado frente a él. Y mientras bebía aprovechó para observarle con atención.

Era alto y muy delgado, rondaría los treinta y pocos años. La forma afilada de su rostro y sus facciones delicadas le daban una apariencia andrógina que él mismo se había encargado de enfatizar con el *gloss* que daba brillo a sus labios y el lápiz que resaltaba sus insólitos ojos. Sus iris eran de diferentes colores, el izquierdo, de un azul tan claro que casi parecía transparente; el derecho, casi por completo negro, excepto por la fina banda azul que lo circundaba. Su cabello, tan negro que parecía absorber la luz, caía liso hasta los hombros. Vestía una camisa blanca de seda salvaje y manga larga, con chorreras en los puños y el cuello, que llevaba desabrochada hasta el esternón mostrando un torso lampiño y pálido. Completaban su extraña apariencia unos botines negros con puntera plateada y tachuelas en los tobillos y unos pantalones de montar del mismo color que se ajustaban perfectamente a su anatomía. Tan perfectamente que no ocultaban en modo alguno el bulto que se elevaba en su ingle. Eberhard arqueó una ceja, o el tío estaba muy bien dotado o gozaba de una estupenda erección.

—¿Te gusta lo que ves o solo estás sorprendido? —le preguntó Karol con indiferencia mientras lanzaba el cigarrillo a medio fumar al suelo para apagarlo con el tacón de su botín. Eberhard parpadeó aturdido, sin saber bien qué contestar—. No, no respondas; no me interesa la opinión que puedas haberte formado sobre mí. Es irrelevante —desestimó encogiéndose de hombros—. A mí sí me gusta lo que veo.

—¿Perdón?

—Me refiero a las estatuas. Me gustan mucho —explicó el enigmático hombre observándole con una sonrisa ladina.

—Eh... sí. Son preciosas —musitó Eberhard luchando por mantener sus ojos fijos en la mesa. No estaba dispuesto a mirarlas y que su casi mitigada erección volviera a alzarse delante de ese extraño personaje.

—Me apasiona Florencia. Se pueden encontrar las más bellas esculturas en cualquiera de sus calles, aunque sean réplicas —comentó señalando *El rapto de las Sabinas*. Eberhard asintió con la cabeza y, antes de ser consciente de lo que hacía, dirigió la mirada a la escultura. Un ramalazo de placer encendió lo que había luchado por apagar. El desconocido inspiró profundamente y sonrió satisfecho—. Algunas son tan sublimes que es casi imposible no excitarse sexualmente con solo verlas... ¿Tú no estás de acuerdo? —preguntó a la vez que sacaba de su bolsillo un pañuelo rojo de seda salvaje y lo sacudía, esparciendo un casi insoportable olor a Chanel N.º 5

Eberhard se echó hacia atrás en la silla para alejarse del pestazo a perfume y, mientras lo hacía, las palabras del desconocido calaron en él. ¿Cómo podía saber que...?

—Puedo oler tu excitación... —murmuró Karol inclinándose hacia él—. Es tan tentadora...

—¡Estás loco! No se te ocurra acercarte a mí —siseó Eberhard.

Se levantó de la silla para marcharse, aunque antes se aseguró de que la chaqueta ocultara la erección que se marcaba bajo sus pantalones. Seguro que su extravagante compañero había visto el bulto y había probado a ver si acertaba. Y el muy cabronazo había hecho pleno.

—Cobarde.

—¿Perdona?

—Escapas con el rabo entre las piernas sin haberte terminado el amaro al que te he invitado... ¡Qué poca educación! —suspiró Karol poniendo los ojos en blanco.

—¡Poca educación! ¿¡Yo!? No me lo puedo creer —farfulló Eberhard encarándose a él—. No he sido yo quien se ha sentado a la mesa sin ser invitado, ni el que ha pedido las bebidas sin consultar mi opinión... Ni el que me ha acusado de excitarme con... con... —negó con la cabeza frustrado.

—Tienes toda la razón. He sido un completo maleducado. Acepta mis disculpas y siéntate, por favor;sería una lástima desperdiciar este magnífico aperitivo. —Y señaló el vaso con el pañuelo—. Prometo no volver a mencionar las estatuas... por ahora —afirmó mirándole con inusitada seriedad.

Eberhard abrió la boca para decirle dónde podía meterse exactamente sus disculpas, y la cerró al ver reflejado en los extraños ojos bicolores de su oponente un destello de la misma angustia y aislamiento que él sentía ante su inexplicable y diferente sexualidad. Apretó los labios con fuerza, desvió la mirada hacia las estatuas ubicadas en la Logia dei Lanzi y volvió a negar con la cabeza. Debía estar tan loco como el tal Karol para hacer lo que iba a hacer...

—No pareces italiano —declaró sentándose de nuevo.

—No lo soy. Soy polaco. O lo era. —Karol frunció el ceño, pensativo—. Lo cierto es que no tengo nada claro que lo siga siendo.

—¿No lo tienes claro? —Se burló Eberhard—. Si naciste en Polonia eres polaco... y seguirás siéndolo hasta que mueras.

—Puede... pero me dieron un montón de dinero para que me fuera del país, y si regreso tendría que devolverlo, algo que no tengo intención de hacer. Por tanto, prefiero considerarme ciudadano de ninguna parte. Es mucho más rentable para mí.

—¿Te dieron? ¿Quiénes? ¿Por qué?

—Esa es información reservada... que no me importaría compartir, a cambio de algo, por supuesto...

—Me parece que no me interesa saber la respuesta —replicó Eberhard, aunque, si era sincero consigo mismo, su acompañante había conseguido despertar su curiosidad—. ¿Qué haces en Italia?

—Lo mismo que podría hacer en cualquier otro lugar... Nada. Todo. Llevo un tiempo deambulando por el mundo, encontrándome, buscando... Ah, pero no puedo hablar de ello o volverás a enfadarte, y no queremos eso, ¿verdad?

Eberhard enarcó las cejas y permaneció silente, comenzaba a entender el juego del polaco. Le tentaba y retaba a partes iguales, esperando que cayera en su trampa. No lo haría.

—Entiendo —suspiró Karol ante la callada respuesta de su compañero de mesa—. Háblame de ti, tú tampoco pareces español.

—Soy alemán.

—Es extraño, hubiera jurado que hablabas en español —replicó irónico—, quizá recuerdo el alemán mejor de lo que cabría esperar para no haberlo hablado desde hace unos años. Pero cosas más raras se han visto —dijo arqueando las cejas y desviando la mirada hacia las estatuas.

—Hace bastante tiempo que vivo en España, pienso en español, y ese es el idioma en el que me comunico —explicó Eberhard a la defensiva, molesto por el gesto del polaco. No había sido una buena idea volver a sentarse.

—¿Hijo de inmigrantes?

—No.

—Ah, entonces, sin lugar a dudas, viajaste a España, te enamoraste del país y lo adoptaste como patria —elucubró.

—Más o menos. —El silencio con que acogió sus palabras Karol le impelió a seguir hablando—. Mis hermanos y yo teníamos cierto interés por la música, contactamos con gente del mundillo y fuimos a probar suerte. Montamos un grupo, los Spirits, no se nos dio mal y decidimos quedarnos y disfrutar del templado clima mediterráneo de Alicante.

—Eres músico. —Eberhard asintió mientras Karol le observaba con atención—. ¿Guitarrista tal vez?

—Sí. ¿Cómo lo has sabido?

—Tienes las uñas de la mano derecha largas mientras que las de la izquierda las llevas cortas... Cuéntame más.

—No hay nada interesante que contar.

—Eso lo tengo que decidir yo... y te aseguro que me interesa todo lo que pueda escuchar. Más aún si es sobre ti. He de reconocer que has despertado mi curiosidad —dijo mirándole fijamente mientras se recostaba indolente contra el respaldo de la silla y estiraba las piernas cruzando los tobillos.

—Tengo novia —le advirtió el alemán adoptando la misma postura que el polaco. Si su instinto no le engañaba, el hombre sentado frente a él parecía interesado en ligar. Y no entraba en sus planes engañar a Sofía con nadie. Al menos con nadie vivo, pensó haciendo una mueca de disgusto al recordar el motivo de su viaje.

—Enhorabuena. Os deseo toda la felicidad del mundo. ¿Por qué no te ha acompañado? —Eberhard lo miró asombrado, ¿cómo lo sabía?—. Si estuviera contigo, no estarías sentado aquí... solo —explicó Karol sagaz.

Eberhard se tensó al oír su respuesta, apretó los labios enfadado y se incorporó hasta quedar erguido. No le apetecía seguir escuchando las impertinencias de aquel tipo que además era demasiado perspicaz para su tranquilidad.

—No tienes derecho a enfadarte, todavía no he incumplido mi palabra, sigo sin hablar de las estatuas —le amonestó Karol entre serio y divertido al sospechar sus intenciones. El muchacho había resultado ser más quisquilloso de lo esperado. Y eso aumentaba el desafío. ¡Maravilloso!

—No me van los tíos —le espetó Eberhard poniéndose en pie. Se estaba hartando de sus insinuaciones.

—¿Es la hora de las confesiones? —preguntó Karol entornando los ojos con astucia—. Estupendo, ahí va la mía: soy un ferviente seguidor del onanismo. Me van los hombres y las mujeres, y algunas otras cosas, pero solo me follo con mi propia mano, y muy a menudo, por cierto. ¿Responde eso a la pregunta implícita en tu comentario?

—Eh... —El alemán volvió a sentarse, atónito. ¿De verdad ese tío acababa de confesarle que se mataba a pajas? ¿Y qué significaba «algunas otras cosas»?

—Tú estás enamorado de tu novia y no te van los tíos; y yo estoy absolutamente satisfecho con mi mano y no tengo intención de tener sexo con nadie ni nada distinto a ella. Por tanto, puede decirse que ninguno de los dos quiere ligar con el otro, lo que nos deja libres para hablar sin tapujos; ¿no te parece?

—Eh... sí —aceptó perplejo. ¿De verdad estaba hablando en serio?

—Perfecto. ¿Qué te ha traído a Italia?

—Siempre visito Italia en esta época. Es una... tradición —comentó aturdido por el magnetismo que emanaba su compañero de mesa. Era imposible resistirse a sus argumentos... ni a su mirada bicolor.

—Las tradiciones pueden ser algo maravilloso —aseveró Karol. Aunque, en su caso, habían resultado ser un desastre. Un desastre que le había dado la libertad... a cambio de un precio, por supuesto—. ¿En qué consiste la tuya?

—No es nada del otro mundo, me gusta estar en Florencia en el solsticio de verano, y visitar Roma durante la jornada posterior...

—¿Siempre en la misma fecha? —Eberhard asintió—. ¿Por qué?

—La primera vez que vi el *David* de Miguel Ángel fue un solsticio de verano, durante el viaje de fin de curso. Justo el día después continuamos el viaje a Roma y pude contemplar algunas de las obras de Bernini. Desde entonces repito el viaje todos los años —explicó confiado. No pensaba revelarle el verdadero motivo de sus recurrentes visitas, pero ahora que había quedado claro que ninguno de los dos estaba interesado en el otro, le apetecía mantener una amigable charla. Por primera vez en su vida sentía que él no era el raro de la película.

—Te debió impresionar mucho ese viaje para que lo hayas convertido en una tradición —apuntó Karol.

—Sí. Llevábamos un par de días en Florencia y mis amigos y yo habíamos intentado una y otra vez escapar de la vigilancia de los profesores —comentó risueño—. Estábamos más interesados en divertirnos que en ver monumentos, pero los tutores no nos quitaban el ojo de encima. Nos obligaron a entrar en una famosa galería... y entonces lo vi —dijo cerrando los ojos, evocando el antiguo recuerdo—. De pie, imponente sobre su pedestal, con su penetrante mirada fija en un lugar más allá del tiempo y del espacio. Me impactó. No sé durante cuánto tiempo estuve allí parado, observando fascinado el *David*... Y cuando horas más tarde salí de la Galería de la Academia fue como si la venda que había tenido sobre los ojos se cayera y por fin pudiera ver la verdadera belleza. Yo, que nunca había querido fijarme demasiado en las estatuas, de repente no podía abstraerme de ellas —confesó con ironía.

—¿No querías fijarte en ellas? ¿Por qué? —le interrumpió Karol.

—Me aburrían —mintió Eberhard. Nunca había querido prestarles demasiada atención porque luego soñaba con ellas. Sueños húmedos que lo hacían sentir pervertido—. Pocos días después fuimos a Roma para la etapa final del viaje. Allí disfruté como nunca de todos los monumentos que había a mi alcance, y por eso siempre regreso a Italia en esta época, para recordar viejos tiempos

—finalizó la historia abruptamente. No le apetecía seguir mostrando esa parte de sí mismo ante el polaco, era demasiado perspicaz.

—Es una bonita tradición.

—Sí que lo es —afirmó Eberhard levantando su vaso para brindar. Y en ese momento se dio cuenta de que estaba vacío. Lo miró pensativo un instante, y acto seguido se levantó—. Voy a la barra a pedir otra ronda, no tengo tu misma facilidad, ni presupuesto, para llamar la atención de los camareros —dijo burlón encaminándose hacia el restaurante.

—Te estaré esperando impaciente...

Eberhard sonrió al percibir el tono taimado del polaco. No cabía duda de que sabía llamar la atención... y hacerse escuchar.

«Ah, qué hombre», pensó Karol lamiéndose los labios. Un magnífico ejemplar. Alto, con los músculos precisos para resultar grato a la vista pero sin llegar a la exageración. Le siguió con la mirada mientras se alejaba, sin darse cuenta de que estaba entornando los párpados para afinar su visión hasta que un súbito mareo le obligó a echar la cabeza hacia atrás e inspirar profundamente. Un furioso gruñido escapó de sus labios. ¡Se le había vuelto a olvidar que había cosas que no podía hacer! Observar con ambos ojos algo alejándose era una de ellas. Y era un verdadero fastidio. ¡Ojalá sus pupilas pudieran captar la profundidad y los colores con idéntica intensidad! Se tapó con la mano, a modo de parche, el ojo derecho y enfocó la mirada azulada del izquierdo en la cristalera del restaurante. A través de esta vio al alemán apoyado en la barra esperando sus bebidas. No cabía duda de que era sublime. El cabello, de un rubio tan claro que parecía plata, caía alborotado sobre un rostro ovalado de barbilla afilada y labios delgados. La corta perilla que lucía, unida a su nariz ligeramente respingona, le daba un aire travieso que desaparecía al enfrentarse a la profundidad de sus ojos. Unos ojos de un azul tan intenso que muchos compararían con el cobalto, pero que a Karol le recordaba al lapislázuli con el que los antiguos egipcios habían creado sus más hermosas joyas.

Sonrió complacido cuando el alemán salió del local con dos vasos en las manos y se dirigió hacia la mesa. Por lo visto había logrado captar su atención lo suficiente como para que no saliera huyendo a la primera oportunidad. Dejó caer la mano que cubría su ojo derecho, al fin y al cabo su visión se normalizaba en las distancias cortas, y lo observó. Caminaba cabizbajo, tratando de esquivar a las personas que circulaban entre las mesas de la terraza mientras se esforzaba en no mirar hacia la Logia dei Lanzi y las estatuas que había en ella.

—Está tan perdido como yo lo estaba —musitó Karol para sí.

Se veía reflejado en él. En sus dudas y sus miedos, en su obsesión por fingir una normalidad de la que jamás disfrutaría.

Eberhard saltó a un lado cuando un turista despistado que trataba de fotografiar la Torre de Arnolfo dio un paso atrás y estuvo a punto de chocar con él. En ese mismo instante su mirada se posó en lo que tanto había intentado evitar y cayó de nuevo rendido ante el encanto de las esculturas que dotaban de alma a Florencia. Permaneció inmóvil, deleitándose con el movimiento estático de los héroes tallados en mármol, con los expresivos rostros pétreos, con los gritos mudos de la Sabina raptada. El conocido y aborrecido deseo recorrió su cuerpo haciendo que su piel hormigueara, su estómago se encogiera y su pene se alzara mientras sus testículos exigían una liberación que aún no estaba dispuesto a otorgarles. Cerró los ojos y oníricas imágenes se dibujaron en el interior de sus párpados, haciéndole gemir de placer y vergüenza hasta que sacudió la cabeza para librarse de la delirante fantasía. Y ni aun así fue suficiente. Tuvo que morderse los labios con fuerza hasta que consiguió apagar con dolor el deseo, y luego, sin permitirse volver a mirar lo que no debía, prosiguió su camino.

Inmóvil sobre la silla en la que estaba sentado, Karol cerró los ojos, elevó la cabeza e inspiró profundamente la brisa que llevaba hasta él la excitación que emanaba del alemán. Se excitó sin poder remediarlo, como siempre le ocurría cuando el deseo de los demás penetraba en sus fosas nasales. Cuanto más se rebelaran contra ese deseo, cuanto más lo rechazaran y más turbación les causara, mayor era la violencia con que se estrellaba contra sus sentidos, y más le afectaba. El aroma de Eberhard mezclaba la poderosa fragancia del más puro deseo con la sofocante esencia de la vergüenza. Era imposible ignorarlo. Aunque lo intentó. Alzó la mano y se cubrió la nariz y la boca con el pañuelo que siempre llevaba consigo, deseando mitigar con Chanel N.º 5 el erótico efluvio de su remiso acompañante, aunque sabía que sería inútil. Gruñó enfadado al sentir que perdía el control de su cuerpo, algo que odiaba, y que a la vez deseaba más allá de toda razón. En cualquier caso, no estaba en su mano recuperarlo, al menos no en ese momento, con el poderoso aroma de la pasión hostigando sus sentidos. Una venenosa carcajada abandonó sus labios. No sabía si alegrarse de su extraño don o maldecirlo. Aunque, en ese preciso instante, con la creciente e incómoda erección presionando contra sus pantalones, se inclinaba por la segunda opción.

Se llevó la mano con disimulo a la entrepierna y se acarició lentamente mientras observaba al joven que se acercaba a él. Ojalá pudiera hacerle abrir los ojos a la realidad…

—No estoy aquí para eso —se reprendió por dejarse

llevar por los sentimientos que pensaba había erradicado de su alma—. Aunque tampoco pasa nada por dejar caer alguna advertencia... —musitó para sí dejando aflorar una parte de su antiguo yo.

De nada servía rechazar el deseo que ardía en el interior de la mente y el corazón. Daba lo mismo lo extravagante o anormal que fuera; por mucho que intentara ignorarlo, siempre salía a flote, y normalmente en el peor momento posible: cuando más daño podía hacerle. Él lo había aprendido hacía poco tiempo. Ojalá pudiera hacérselo entender a su rebelde amigo, tan empeñado en fingir una normalidad por completo ajena a sus instintos. Todo en él proclamaba su feroz lucha por alcanzar esa normalidad que tan esquiva era para los monstruos como ellos. Su manera de vestir demasiado anodina, vaqueros, deportivas y camiseta azul. Su descuidado cabello, demasiado largo y alborotado. Su forma de caminar con la mirada baja... Nada en él insinuaba que fuera diferente del resto de las personas que paseaban por la plaza. Pero lo era. Era un hombre enamorado de su novia, fiel, si hacía caso a sus palabras... y absurdamente ofuscado en ocultar los oscuros secretos que emponzoñaban su alma. Y que le llevarían a perderlo todo si continuaba intentando engañarse a sí mismo.

—Cosa que hará, por supuesto. Se perderá lo mismo que yo me perdí... y pagará un precio, al igual que yo lo pagué —afirmó con cinismo mientras se acariciaba la ceja derecha—. Solo espero que no sea el mismo —musitó con un deje de tristeza en la voz.

Apretó los labios mientras pensaba que quizá sería divertido hacerle comprender que no era malo ser distinto; muy al contrario, no había nada más excitante que explorar las diferencias y disfrutar de ellas. Sonrió perezoso al imaginar su cara cuando le demostrara que su insólita sexualidad solo era una más entre mil, muchas de las cuales era más perversas, disolutas y abrumadoras que su inocente atracción sexual por las estatuas. Iba a ser todo un reto demostrarle lo equivocado que estaba.

—Pareces muy contento —comentó Eberhard dejando los vasos en la mesa.

—¿En serio? Qué extraño. —Karol frunció el ceño al darse cuenta de que efectivamente estaba contento. Más que eso. Se sentía feliz al pensar que podría ayudar al hombre sentado frente a él, tal vez convertirse en su amigo. Y eso era muy peligroso. Los amigos no existían, al menos no para alguien como él—. Está claro que vuelvo a las antiguas costumbres... soy un completo imbécil —se reprendió en voz baja.

—¿Te acabas de llamar imbécil a ti mismo? —le preguntó divertido Eberhard.

Karol fijó su misteriosa mirada en él antes de responder.

—¿Sabes que, cuando Pandora destapó su ánfora y todos los males del mundo salieron de ella, solo quedó dentro la esperanza?

—Sí, es uno de los mitos griegos más famosos. La verdad es que siempre me he preguntado por qué la esperanza estaba guardada junto a las desgracias.

—Porque es la mayor de las desdichas, la más nefasta y dañina. El mal del que nadie puede escapar y en el que todo el mundo cae. Quien tiene esperanza está abocado a sumirse en la desesperación.

—No opino lo mismo. La esperanza nos da fuerzas para realizar nuestros sueños —rechazó Eberhard atónito por la intensa furia que podía intuir en la voz del polaco.

—Los sueños no son reales, son solo meras quimeras que nos hacen perseguir lo absurdo —espetó Karol con rabia a la vez que golpeaba la mesa con el puño cerrado—. No pierdas nunca de vista la realidad o, cuando menos te lo esperes, te estrellarás contra ella —siseó con los dientes apretados—. Y puede hacerte mucho daño —musitó cerrando los ojos. Cuando los volvió a abrir una insolente sonrisa se dibujaba en sus labios—. Dime, ¿qué es lo que más te gusta de la Ciudad Eterna?

—No sabría decirte —mintió Eberhard perplejo por el despliegue de emociones que había antecedido al repentino cambio de tema.

—¿No? Yo lo tengo claro. Sin lugar a dudas, la Galería Borghese —lanzó su dardo. Si le excitaban las estatuas, no podría pasar por alto las maravillosas obras que allí había.

—Es una galería muy... interesante —respondió Eberhard evasivo.

—¿Estás seguro de que la has visitado con los ojos abiertos? —Karol sacudió el pañuelo frente a su rostro a la vez que elevaba la cabeza y ponía los ojos en blanco—. No es interesante. Es sublime. Magnífica. Perturbadora. Excitante. Nadie con sangre en las venas puede permanecer impasible ante las soberbias esculturas que habitan sus pasillos.

—No te lo niego —soltó Eberhard impactado por la pasión que restallaba en las palabras del polaco. La misma que se apoderaba de él cada vez que visitaba la galería—. Hay obras tan hermosas que duele mirarlas.

—Exacto. ¡Por fin nos entendemos! ¿Cuál es tu favorita? —le preguntó entornando los ojos.

—No tengo favoritas —mintió de nuevo.

—¿No? Yo sí. Estoy enamorado de *Apolo y Dafne* —afirmó centrando su mirada bicolor en Eberhard—. Es la más hermosa de todas las obras de Bernini.

—No cabe duda de que en ella supo conjugar a la perfección la contraposición de los elementos con el uso del contraste —comenzó a decir Eberhard adoptando su tono de voz más técnico e indiferente.

—Pareces un crítico de arte —le espetó Karol con desprecio—. Las obras de Bernini no se deben mirar con los ojos, sino con el alma —le reprochó—. Hablar de ellas como simples pedruscos perfectamente tallados es un insulto a su belleza.

—No hablo de ellas como si fueran pedruscos —replicó Eberhard herido en su orgullo.

—Pues lo parece. ¿Dónde han quedado la pasión, la exaltación, el arrobamiento ante la divinidad si solo admiramos la composición de la obra? ¡Menuda estupidez! —exclamó despectivo—. El rostro de Dafne, sus labios abiertos por el miedo mientras mira hacia atrás para ver a su perseguidor... El gesto asombrado de Apolo al descubrir la transformación de su amada, la pasión que emana de su grácil cuerpo mientras trata de alcanzarla, los pechos de la ninfa elevándose por la respiración agitada. Esa y no otra es la verdadera magia de la obra —sentenció Karol—. Aunque, por mor de la verdad, también debo reconocer que Apolo es uno de los hombres más hermosos que he visto nunca... y mejor no hablar de Dafne, la belleza personificada en mujer —afirmó ladino.

Eberhard entrecerró los párpados, pensativo, antes de devolverle la sonrisa a su extravagante compañero. ¿Quería hablar de belleza, pasión y alma? Perfecto.

—No estoy de acuerdo —murmuró irguiéndose—. Ninguno de los dos es tan hermoso como dices. Apolo parece un muchacho recién salido de la pubertad. Es demasiado andrógino como para ser el poderoso dios del Sol. Y Dafne carece de la perfección de formas que debería tener una ninfa. Está demasiado delgada. Ambos lo están.

—¿Apolo andrógino? —exclamó Karol fingiéndose espantado.

—Sí. ¿Quieres un dios del que emane fuerza, poder, deseo...? Pues ese es Plutón, sin duda. Su fuerza puede verse en cada detalle esculpido, sus músculos en tensión mientras sujeta con fuerza a Proserpina, sus dedos hundiéndose en los muslos de la diosa mientras la lleva en brazos al inframundo, la determinación en su mirada, la violencia implícita en sus actos. Ese sí que es un verdadero Dios, poderoso e inmisericorde —aseveró con rotundidad antes de inspirar profundamente para intentar erradicar el anhelo que comenzaba a formarse en su interior.

—*El rapto de Proserpina* —musitó Karol.

Eberhard asintió con la cabeza. No había escultura más hermosa que esa. Ninguna alcanzaba a igualar su perfección. Ninguna captaba el alma de los protagonistas con tanta claridad.

—La bella y delicada Proserpina secuestrada por el infame dios del infierno. La inocente carnalidad de una de las mujeres más hermosas jamás tallada —afirmó Karol pensativo—. La forma en que intenta liberarse del poderoso Plutón, su mano empujando la frente del dios mientras sus ojos buscan desesperados un salvador...

—Sus labios entreabiertos pidiendo ayuda parecen llamarnos, nos empujan a acercarnos a ella e intentar liberarla —musitó Eberhard absorto en sus pensamientos mientras evocaba la imagen de la escultura tal y como la había visto la última vez. Un aguijonazo de deseo lo recorrió de arriba abajo, alojándose en su ingle y endureciendo su pene.

—Pero la voluntad que muestran los rasgos de Plutón nos indica que no hay nada que hacer. Él es un dios y nosotros simples mortales —reflexionó Karol observándole con atención. La esencia carnal que emanaba del joven le golpeó de lleno, excitándole.

—Aun así no podemos evitar conmovernos cuando vemos las lágrimas en el rostro de Proserpina. Es, en ese momento, cuando desearíamos poder convertirnos en el mismísimo Zeus y rescatarla para hacernos dignos de su amor —declaró Eberhard deslizando la mano lentamente por su vientre.

—Puede que esa fuera la intención de Bernini al crear a Proserpina —elucubró Karol sacudiendo con fuerza el pañuelo frente a sí. El alemán estaba tan excitado que el aroma que desprendía amenazaba con colapsarle los sentidos—. Excitar nuestros instintos más primigenios, obligarnos a ser de nuevo el macho de la especie luchando a muerte por la hembra que desea, para al salir vencedores de tan cruenta lucha hacernos destinatarios de su eterno agradecimiento —argumentó inclinándose conspirador contra su reciente amigo—. ¡Y qué increíble recompensa sería! No hay mujer más hermosa que ella… ni más embriagadora.

—Mi novia se parece a ella —musitó Eberhard cerrando los ojos.

Las yemas de sus dedos reposaban a un suspiro de la imponente erección que se marcaba bajo sus pantalones.

—¿A Proserpina?

—Si la diosa pudiera convertirse en humana, sin duda elegiría a Sofía para reencarnarse. Tiene su misma gracilidad, sus formas perfectas y delicadas, la dulzura de sus rasgos… —musitó mientras sus dedos acariciaban su rígido pene por encima de la tela vaquera.

—¿Lo sabe tu novia? —susurró Karol.

Eberhard abrió los ojos de golpe, consciente al fin de hasta qué punto se estaba dejando llevar por el aborrecible deseo que le corroía.

—¿Que se parece a Proserpina? Sí, se lo he mencionado en alguna ocasión —respondió tras dar un largo trago a su bebida para humedecer su, de repente, seca garganta.

—No me refiero a eso… ¿Sabe que te excitan las estatuas? —le preguntó sin tapujos.

Eberhard lo miró fijamente mientras negaba aturdido con la cabeza.

—Deberías decírselo.

—No sé de qué estás hablando —acertó a decir por fin Eberhard.

—Claro que lo sabes —le rebatió Karol—. Puedo oler tu excitación, y también tu desesperación cada vez que ves una estatua, cada vez que hablas de ellas —aseguró con rotundidad—. No te obligues a no sentir lo que sientes.

—No lo hago —masculló Eberhard entre dientes.

—Sí lo haces. Y eso acabará destruyéndote. Hazme caso, díselo a tu chica. No le ocultes más tu secreto. Si te quiere, lo aceptará y disfrutaréis del mejor sexo del mundo. Si no lo acepta... en fin, siempre es mejor enterarse antes que después. No merece la pena vivir una vida a medias por alguien que no te acepta tal como eres.

—Estás loco —siseó Eberhard con la mirada clavada en el enigmático hombre.

—No. No lo estoy. Solo soy sincero. Tú también deberías serlo, más aún con la mujer que amas.

—Vete a la mierda —siseó levantándose de la silla con tanto ímpetu que esta cayó al suelo.

—Adelante, huye. No te servirá de nada, antes o después te verás obligado a dejar de fingir —le advirtió Karol.

Eberhard miró al extraño personaje, negó con la cabeza y, sin decir nada más que pudiera darle pie a continuar con la controvertida e indeseada conversación, giró sobre sus pies y abandonó la terraza.

22 de junio 2008

Eberhard permanecía inmóvil frente a *El rapto de Proserpina*. Estaba excitado, como siempre que se encontraba frente a ella, mas su mente se hallaba sumida en pensamientos que distaban mucho de ser agradables.

Las pronunciadas ojeras que adornaban su rostro evidenciaban que apenas había dormido la noche anterior, algo previsible dado el motivo de su viaje. La excitación tras recorrer Florencia y el anhelo casi insoportable por ver a Proserpina siempre se conjugaban en una noche en la que el deseo carecía de límites. O al menos así había sido hasta que el día anterior un enigmático hombre se cruzó en su vida y le hizo plantearse hasta dónde pensaba llegar en su afán por ocultar su obsesión... y si esta le costaría el amor de Sofía.

Había pasado las horas de oscuridad dividido entre el placer que le provocaba masturbarse mientras daba rienda suelta a su obsesión y la desesperación que le desgarraba al sentir que con cada orgasmo que se procuraba pensando en Proserpina estaba siendo infiel a la mujer que amaba.

Se mordió los labios a la vez que apretaba las manos contra su estómago. Su polla palpitaba con fuerza bajo los pantalones, ansiosa por escapar de la prisión de la tela y derramar la pasión que albergaban sus tensos testículos. Y mientras el deseo crecía y se expandía por su cuerpo, no podía dejar de pensar en Sofía. Había querido acompañarle en este viaje, y él se lo había impedido con excusas plagadas de mentiras. Y todo para serle infiel con una estatua mientras soñaba. Se avergonzaba de sí mismo. Bastante horrible era pensar en hacer el amor con Sofía, angustiado por conseguir una excitación que jamás llegaría si no evocaba la imagen de Proserpina. Más todavía el hecho de que viajaba a Italia para ponerle unos oníricos cuernos mientras ella le esperaba confiada en España. ¿Eso era lo que le deparaba el futuro? ¿Una vida a medias, plena de excusas y mentiras mientras intentaba ocultar a la mujer que amaba la aberrante obsesión que anidaba en su interior?

Cerró los ojos y negó con la cabeza. Ese no era el futuro que quería, pero tampoco se atrevía a hacer nada por cambiarlo. El terror a fracasar y ser desterrado del corazón de Sofía era un riesgo demasiado elevado de asumir.

—¿Has cumplido tus deseos esta noche, o por el contrario no ha sido tan satisfactoria como esperabas? —susurró una voz conocida junto a él.

Eberhard se giró lentamente hasta quedar encarado al extraño hombre que había descubierto su secreto. Aún no sabía cómo lo había averiguado, aunque imaginaba que la erección que seguramente el polaco habría visto mientras hablaban de las estatuas tendría algo que ver. De todas maneras, carecía de importancia. No quería volver a hablar con él en lo que le quedaba de vida. Le dedicó su mirada más despectiva y se alejó para observar la escultura desde otra perspectiva.

Karol se encogió de hombros al ver el gesto del alemán. Sabía que esa sería su reacción; de hecho, la esperaba. Pero la maldita esperanza había hecho mella en él durante la noche, haciéndole desear que la escena que acababan de representar fuera distinta, que por una vez en su vida pudiera gozar, si no de amistad, sí de cierto entendimiento. Un velo de pesar cubrió sus ojos bicolores durante un instante, y luego, tal y como había aparecido, desapareció. Al fin y al cabo se sabía la lección aunque se empeñara en ignorarla una y otra vez. Nada se consigue gratis. Ni siquiera los amigos. Siempre había que pagar un precio. Un precio que él no estaba dispuesto a pagar. Ya no. Y si eso significaba continuar recorriendo los caminos de la vida solo, que así fuera. No necesitaba a nadie.

Corazón

Jueves, 19 de junio de 2009

—Te vas a dar una paliza —comentó Sofía entrando en la habitación apenas iluminada por la luz de la lamparilla de noche—, y todo para nada. En solo dos días no te va a dar tiempo a disfrutar de Roma y Florencia. ¿Por qué no regresas el domingo en vez del sábado? O mejor todavía, ¿por qué no esperas a las vacaciones y nos vamos los dos juntos a Italia?

Eberhard dejó los pasajes de avión sobre la pequeña maleta que acababa de cerrar y se volvió hacia su mujer. Un aguijonazo de deseo le recorrió al verla. Sofía acababa de salir de la ducha y lo único que cubría su voluptuoso cuerpo era una enorme toalla blanca que se había anudado floja en las caderas y que, tras ocultar apenas su pubis, caía en pliegues desordenados hasta el suelo, dejando ver los dedos de sus pies, tal y como sucediera con las túnicas de las antiguas estatuas helenas. Su cabello, todavía húmedo, caía sobre su busto en perfectos tirabuzones, cuyas puntas rozaban acariciantes los erguidos pezones de sus senos desnudos. Se había colocado frente a la ventana y su cuerpo enmarcado por la oscuridad de la noche asemejaba al de una diosa que hubiera descendido a la Tierra para robarle la voluntad. Algo que no era necesario, pues hacía tiempo que Sofía se había convertido en el único motivo por el que latía su corazón, en la Proserpina hecha mujer que acariciaba las profundidades de su alma corrompida y monstruosa.

—¿Eber? —le llamó ella, sonriendo satisfecha al ver el deseo que llameaba en los ojos del hombre.

—Perdona, no te he oído, estaba distraído con... la maleta. ¿Qué decías? —preguntó mientras los rasgos de su mujer se confundían en su imaginación con los de la estatua a la que adoraba.

—Te vas a dar una paliza —repitió ella, complacida al verlo tan aturdido—. Vas a tener que coger tres vuelos en dos días, y todo para recorrer Florencia y Roma a la carrera. No te va a dar tiempo a ver nada.

—Con dos días es suficiente —declaró Eberhard sin poder apagar el brillo de admiración y lujuria que iluminaba sus ojos.

—¿Suficiente para qué? —susurró ella acercándose voluptuosa hacia él. No se le había escapado el deseo implícito en su mirada. Y pensaba explorarlo. Su marido no solía mostrarse tan apasionado. No era cuestión de desaprovecharlo.

—Para cumplir con la tradición —respondió Eberhard sacudiendo la cabeza para deshacerse de las lascivas imágenes que se habían adueñado de su mente. No estaba bien excitarse mientras conjugaba la imagen de Proserpina sobre el hermoso cuerpo de Sofía. Era rastrero, aberrante. Una monstruosa infidelidad más con la que su depravada alma le torturaba—. No te preocupes, cariño; estaré de regreso el domingo, y tan fresco como una lechuga. Ya lo verás —musitó dándole un ligero beso en los labios para luego separarse con rapidez—. Voy a ducharme, no me esperes despierta.

Sofía esperó hasta que el ruido del desvencijado calentador le indicó que Eberhard había comenzado sus abluciones y, acto seguido, se quitó desdeñosa la toalla que se había colocado con esmero para que cayera imitando las de las estatuas que a él tanto le gustaba mirar. Furiosa, dio una patada hasta mandarla a un rincón de la habitación y se enfrentó al enorme espejo que había en la pared.

—¿Qué es lo que hago mal? —le preguntó con rabia a su reflejo mientras deshacía con los dedos los tirabuzones que había moldeado con cuidado para que cayeran sobre sus pechos—. ¿Por qué narices no consigo que alguna vez, aunque solo sea una maldita vez, se abalance sobre mí y me folle desesperado?

Observó su cuerpo desnudo; quizá no fuera tan esbelto como dictaba la moda actual, pero tampoco era tan desagradable como para que Eberhard saliera corriendo cada vez que se mostraba desnuda ante él. Y, además, había visto la lujuria brillando en sus ojos un instante antes de que la turbación y la vergüenza se manifestaran en su apuesto rostro y huyera de la habitación. Se sentó sobre la cama y cogió los billetes de avión que le alejarían de ella durante dos días. Leyó las fechas escritas en ellos y deseó, no por primera vez, romperlos en mil pedazos. Hacía más de un mes que se mostraba más nervioso y circunspecto de lo habitual. Justo desde el mismo instante en que comenzó a planear su fugaz viaje. Había dejado de sonreír y su rostro mostraba un tormento que trataba de ocultar sin conseguirlo. Apenas la besaba, y el sexo, nunca demasiado presente en su relación, se había vuelto casi inexistente. ¿Por qué? ¿Acaso estaba guardando las fuerzas para follar como un loco con otra en Italia?

Sacudió la cabeza para expulsar de su cerebro la horrible sospecha y dejó los billetes sobre la maleta. Su marido no pensaba engañarla, estaba segura. Le demostraba cuánto la amaba cada segundo de cada día. Aunque no fuera exactamente una fiera en la cama, en el resto de los ámbitos de su vida la trataba como si fuera una diosa que había descendido del Olimpo para que él la adorara. Pero aun así... Daría lo que fuera por descubrir qué narices le pasaba.

Se levantó de la cama y descorrió las cortinas que ocultaban al resto del mundo lo que ocurría en el interior de la habitación. Una punzada de deseo le recorrió el vientre al pensar que alguien podría estar observándola en ese momento, algo que era casi imposible. Al fin y al cabo vivían en el ático de uno de los edificios más altos de Alicante. Pero aun así... le gustaba imaginarse observada y deseada mientras se desnudaba... mientras hacía el amor...

Cuando Eberhard regresó, la luz que se colaba a través de las ventanas iluminaba la figura yacente de su amada, transformando su dorada piel en inmaculado mármol y las exquisitas formas de su cuerpo en un contraste de claroscuros que la volvían todavía más seductora a sus ojos, si es que eso era posible. Estaba dormida sobre las sábanas, desnuda, con los brazos por encima de la cabeza, haciendo que sus turgentes pechos se elevaran con cada respiración. Tenía el cuerpo ligeramente girado hacia la ventana, como si se hubiera dormido mirando las estrellas, y sus piernas unidas y levemente dobladas formaban un arco perfecto. Era tal la belleza que emanaba de ella que Eberhard tuvo que emplear toda su fuerza de voluntad para no postrarse a sus pies, hundir la cabeza entre sus muslos y adorarla como realmente se merecía.

Inspiró profundamente para calmar la lujuria que amenazaba con dominarle y, cuando lo consiguió, se deshizo de la toalla y caminó hasta el extremo de la cama en el que siempre dormía. Se sentó con cuidado para no despertarla y tomó el teléfono móvil que había dejado sobre la mesilla.

La repentina inclinación del colchón y el suave gemido que la acompañó le indicaron que no había sido tan sigiloso como pretendía.

—¿Qué haces? —musitó Sofía arrodillándose tras él y posando las manos sobre sus hombros.

—Asegurarme de que haya conectado bien la alarma del móvil. No quiero llegar tarde al aeropuerto mañana.

—Puedo llevarte antes de ir al trabajo —comentó ella antes de retirarle el cabello de la nuca y depositar en ella un dulce beso.

—No hace falta. Tengo que salir muy pronto y no quiero hacerte madrugar.

—No me importa madrugar. —Le mordió con delicadeza el lugar donde hombro y cuello se unen. Un escalofrío recorrió el cuerpo del hombre.

—Pero a mí sí me importa que madrugues —replicó con cariño él a la vez que giraba la cabeza para poder besarla.

—Siempre tan considerado —murmuró ella antes de lamer los labios de su amante, y, mientras lo hacía, deslizó la mano por el costado masculino. Acarició perezosa su vientre liso, y descendió decidida hasta abarcar entre los dedos la erección que sus caricias habían despertado.

Eberhard cerró los ojos durante un instante, dominado por el placer que su mujer le estaba proporcionando, y, cuando los abrió, lo único que pudo ver fue la hermosa sonrisa que adornaba el rostro de Sofía.

—Te quiero —musitó feliz de saber que esa espléndida hembra era suya. Su esposa. Su amante. La única razón de su existencia.

—Demuéstralo —le desafió burlona a la vez que le obligaba a tumbarse de espaldas sobre la cama y se sentaba a horcajadas sobre las caderas de él, acunando el pene erecto entre los pliegues de su sexo—. Hazme el amor como si fuera nuestra última noche juntos —susurró inclinándose para lamerle la nuez de Adán—, como si fuera la única mujer en la tierra a la que amas —le exigió antes de poder contener sus palabras.

Eberhard se quedó paralizado al escucharla, su corazón dejó de latir durante un segundo eterno y sus pulmones se contrajeron, incapaces de encontrar el aire necesario para respirar.

—¿Eber?

Sofía entornó suspicaz los ojos al percatarse de la súbita palidez de su marido, de la repentina laxitud de su pene.

—Te quiero solo a ti, Sofi. Eres la única mujer a la que amo —aseveró sentándose sobre la cama y envolviendo el rostro amado entre las manos—. Dime que lo sabes. Dime que no tienes ninguna duda sobre eso —jadeó desesperado manteniendo los ojos bien abiertos para no ver en sus párpados la imagen de Proserpina fluctuando sobre la de Sofía. ¡Maldita fuera la pétrea diosa! ¡Maldito el viaje que su alma corrompida le obligaba a realizar!

—Lo sé, tranquilo —afirmó ella—. Era solo una tontería, no sé ni por qué lo he dicho.

—Sí lo sabes, y yo también. Es por el puñetero viaje. Piensas que...

—No. No lo pienso —le interrumpió ella—. O al menos, no quiero pensarlo...

—Voy cada solsticio de verano desde que era un adolescente. No significa nada; solo es... algo que tengo que hacer para estar en paz conmigo mismo, nada más —declaró posando la frente sobre la de su mujer—. No te voy a ser infiel, ni ahora ni nunca. Eres lo más importante de mi vida, el motivo por el que respiro, el motor que hace latir mi corazón. Te quiero más que a nada en el mundo. Dime que me crees.

—Te creo.

Eberhard suspiró profundamente y la abrazó con fuerza a la vez que hundía la cara entre los suaves rizos castaños que caían sobre el cuello femenino. Continuaron abrazados hasta que sus respiraciones se hicieron una y sus corazones palpitaron con idéntica letanía. Y entonces, Eberhard se permitió soñar que no había nada que pudiera separarlos, ni siquiera la diosa tallada en mármol que le esperaba en Roma. Se tumbó de nuevo llevando consigo el suave cuerpo de su mujer y cerró los ojos, decidido a que en sus sueños solo estuviera presente Sofía. La sintió moverse hasta que se quedó tumbada de lado sobre las sábanas, acurrucada contra él mientras una de sus delicadas manos se movía sugerente sobre la estrecha línea de vello que atravesaba su vientre y desembocaba en el nido de rizos sobre el que yacía su flácido pene.

—Duérmete, cariño; es tarde —musitó besándola en la frente.

—No tengo sueño.

Se inclinó sobre él y apresó una de sus tetillas con los dientes.

Eberhard jadeó en busca de aire cuando ella comenzó a acariciarla con la lengua mientras su mano continuaba descendiendo hasta quedar alojada sobre su cada vez más despierta verga.

Sofía sonrió complacida al sentir el erecto pene presionar contra la palma de su mano. Lo envolvió entre los dedos y comenzó a masturbarlo con lentitud mientras su boca recorría el cuerpo, cada vez más tenso, de su marido. Acarició con la lengua las hendiduras que marcaban sus costillas, mordisqueó con lascivia sus caderas y descendió entre besos por su pubis hasta que sus labios se encontraron con el hinchado glande. Exhaló su cálido aliento sobre él, y Eberhard se estremeció presa del deseo. Continuó masturbándole despacio, impasible ante la impaciencia que se dibujaba en los rasgos de su esposo y atenta a su respiración, cada vez más agitada, y los escalofríos que le recorrían. Lo vio aferrarse con fuerza a las sábanas revueltas a la vez que separaba las piernas y alzaba las caderas. En ningún momento sus increíbles ojos azules dejaron de mirarla extasiados.

—Sofi, por favor —suplicó con voz ronca.

Y, atendiendo a su ruego, Sofía envolvió el rígido pene entre sus labios ante la penetrante mirada de su marido. Saboreó las lágrimas de semen que brotaban de la hendidura del glande y jugó en ella con la lengua sin que sus dedos dejaran de moverse ágiles sobre el grueso tronco surcado de abultadas venas. Esperó hasta que los gemidos que abandonaban los labios masculinos fueran cada vez más profundos y continuados y, entonces, succionó con fuerza la corona para a continuación sumergir por completo la imponente verga en su boca.

Eberhard jadeó casi sin respiración cuando los labios de su mujer hicieron magia sobre su polla. Soltó las sábanas a las que se había aferrado en su intento por ser paciente, y llevó las manos hasta la salvaje y alborotada melena de Sofia. Envolvió uno de sus puños entre los sedosos rizos, sujetándola, y elevó las caderas para enterrarse con más fuerza y profundidad en su boca. El placer restalló en todo su ser. Echó la cabeza hacia atrás y abrió los labios en un grito mudo mientras sus párpados se cerraban.

Y en ese momento apareció ante él.

Pétrea e inmóvil, como la última vez que la había visto sobre su pedestal en la Galería Borghese.

Proserpina...

Abrió los ojos aterrado. Y siguió viéndola frente a él, etérea, casi transparente, observándole mientras su mujer le daba placer con la boca.

—No. Ahora no... por favor... —balbució estremecido.

¿Acaso podía haber algo más deshonesto que ser infiel a su mujer con el fantasma de su obsesión mientras ella le hacía alcanzar el orgasmo?

—¿Eber, qué te pasa? —le preguntó Sofía asustada al escuchar la desesperación de su ruego y sentir la rigidez exacerbada que tensaba su cuerpo.

Un instante después la mano con que él la sujetaba se aflojó hasta caer inerme sobre el colchón y el pene perdió su solidez, tornándose flácido.

—Nada... solo estoy cansado. He tenido un día muy duro en el trabajo, y eso unido a los nervios por el viaje ha acabado por derrotarme —murmuró tapándose los ojos con el antebrazo para que ella no pudiera leer la mentira en ellos. ¿Podía existir alguien más rastrero, más mentiroso, más infame que él?—. Quizá sea mejor dejarlo para cuando regrese. —Quizás entonces, tras haber dado rienda suelta a su obsesión, pudiera hacer el amor con su mujer sin temer que se presentara el fantasma de una maldita estatua.

—No. No es mejor dejarlo para cuando regreses —rechazó decidida—. Y tú lo sabes.

Eberhard no respondió. Porque, en efecto, sí, lo sabía. Alejó el brazo de su rostro y fijó la mirada en el techo, esforzándose por eliminar la imagen de Proserpina de sus pupilas.

Sofía observó la angustia que se reflejaba en los rasgos de su marido, pero aun así se negó a cesar en su empeño. Le conocía, sabía cuando algo lo atormentaba... y eso casi siempre ocurría durante sus relaciones sexuales. Y sabía, por experiencia, que, si le dejaba salirse con la suya, no volverían a hacer el amor en demasiado tiempo.

La primera vez que ocurrió le había dado la misma excusa que ahora, exhortándola a que lo dejaran para más tarde. Ella había accedido, creyendo a pies juntillas su mentira. Cuando al día siguiente intentó reanudar lo que habían dejado a medias, la súbita rigidez que antecedía a la debacle tuvo lugar a los pocos segundos de empezar, y él buscó una nueva excusa... que ella creyó. El suplicio se alargó durante semanas. Discutieron cuando él se negó a contarle lo que le pasaba. Se gritaron el uno al otro cuando ella le sugirió ir al médico para buscar una solución a su problema, un problema que él aseguraba no tener. Hasta que llegó un día en que ella decidió coger el toro por los cuernos y hacer caso omiso de sus ruegos. Desde entonces, no había vuelto a caer en la trampa, y no pensaba hacerlo ahora.

No sabía qué era lo que frenaba a Eberhard cuando estaba a punto de alcanzar el orgasmo, pero sí sabía cómo contrarrestarlo. Solo tenía que esforzarse un poco más. Algo que, por cierto, le encantaba hacer.

Se chupó el dedo corazón de la mano derecha hasta ungirlo en saliva y lo llevó hasta el ano de su marido a la vez que comenzaba a lamer golosa su flácida polla.

Eberhard separó más las piernas y se esforzó en respirar lentamente mientras su mujer le acariciaba el fruncido orificio. Se rindió a la presión que iba aumentando poco a poco, hasta volverlo dúctil, momento en que lo penetró con lentitud. Y mientras insertaba el dedo en su interior, Sofía envolvía de nuevo con los labios el rígido pene y dejaba que la lengua le torturara a placer, lamiéndole el glande, jugando con el frenillo, chupándole ávida...

Sofía deslizó el dedo por el recto, atenta al pequeño bulto que le indicaría que había dado con el punto «P» de su marido. Apenas había introducido la segunda falange cuando lo encontró. Comenzó a frotarlo con suavidad a la vez que con la palma de la mano masajeaba el perineo. El gemido que escapó de la garganta de Eberhard le confirmó que iba por buen camino. Presionó con los labios el glande y, cuando le sintió temblar, succionó con fuerza.

Eberhard gruñó extasiado cuando su esposa comenzó a devorar su pene con extrema lentitud. Su cuerpo se tensó impaciente cuando sus dientes rasparon sutiles el tallo de su polla, arrancándole jadeos estrangulados. Cerró los ojos, incapaz de mantenerlos abiertos, cuando ella imprimió más fuerza a las caricias del dedo con que lo penetraba y más velocidad a la felación a la que le sometía. Y sucumbió al placer cuando lo hundió por entero en su boca, permitiéndole adentrarse en su húmeda profundidad para luego tragar sobre su glande. Y mientras el placer recorría inclemente su cuerpo, la imagen de Proserpina se superponía a los hermosos rasgos de Sofía, mezclándose con ellos hasta que fue incapaz de distinguir cuáles pertenecían a la esposa que adoraba, cuáles a la diosa que le obsesionaba.

Sofía se detuvo cuando las sacudidas que precedían al éxtasis estremecieron el cuerpo de Eberhard. Su dedo abandonó el recto y su boca se alejó perezosa de la imponente erección para recorrer con la lengua el plano vientre, el torso agitado por la errática respiración, los labios entreabiertos, que exhalaban jadeantes. Se montó a horcajadas sobre él, empuñó su gruesa y dura polla y la dirigió hacia la entrada de su vagina. Esperó hasta que la mirada desenfocada de Eberhard cayó sobre ella, buscándola con desesperación, y, en ese mismo instante, se empaló en su verga.

Eberhard aferró las caderas de su mujer y echó la cabeza hacia atrás a la vez que un fuerte gruñido abandonaba sus labios. Ante sus ojos, el rostro de Sofía se transformó en el de Proserpina, y el de esta se convirtió a su vez en el de Sofía. Sus dedos anclados en la sedosa piel de su esposa eran en realidad los de Plutón que sujetaban inclementes a la esquiva diosa. Los turgentes senos de su mujer se convertían en pálido mármol para al instante siguiente tornarse en dorada piel. La vorágine de imágenes pasaba ante sus ojos sin que pudiera hacer nada por ignorarlas. Sofía le cabalgaba cada vez más rápido mientras él, aferrado a ella, alzaba las caderas y la instaba a empalarse en su polla con más fuerza, en una ascendente espiral de placer y deseo que parecía no tener fin.

Sin dejar de moverse sobre Eberhard, Sofía dirigió durante un instante su mirada hacia la ventana de cortinas descorridas. ¿Habría alguien al otro lado mirándoles? ¿Alguien se estaría masturbando, excitado al verlos follar como salvajes? Una oleada de descarnada lujuria atravesó su cuerpo y la lanzó al orgasmo. Irguió la espalda y alzó los brazos sobre la cabeza, exponiendo y elevando más todavía sus pesados pechos coronados por endurecidos pezones.

Eberhard sintió su pene apresado por las contracciones orgásmicas de la vagina en la que estaba sumergido, embistió con ímpetu mientras contemplaba embelesado los hermosos pechos de su mujer y su adorado rostro tensándose por el placer. Proserpina se desvaneció de su mente, y solo quedó Sofía, tan perfecta, tan hermosa, tan sensual. El éxtasis estalló, haciéndole estremecer mientras su esposa se derrumbaba sobre él, aumentando más todavía el placer al sentir su cuerpo desnudo cubriéndole.

Instantes después, recuperada de nuevo la respiración, abrió los ojos y la contempló embelesado. Se había quedado dormida sobre él, el tibio contacto de su cuerpo arrullaba su atormentado corazón. Sus párpados cayeron, vencidos por el sueño, pero, antes de que Morfeo le trasladara a sus dominios, un pensamiento atravesó su mente. No había nadie, ninguna mujer, estatua, o diosa, comparable a su esposa. Era ella, y no Proserpina, quien debería estar en un pedestal para que todos pudieran adorarla y postrarse rendidos a sus pies.

21 de junio 2009

Karol rodeó indolente *El rapto de Proserpina* observando con atención los detalles que despertaron su curiosidad la última vez que la contempló. Su mirada cayó en el prieto culo de Plutón, que contrastaba claramente con las dúctiles nalgas de Proserpina; en el torso fuerte y musculado del dios en contraposición con los turgentes senos y el vientre flexible de la diosa. Poder y dulzura, fuerza y fragilidad, pasión y miedo. Eso era lo que le trasmitía la admirada obra. El voluptuoso cuerpo femenino debatiéndose contra la impetuosa fogosidad masculina. No le extrañaba en absoluto que el alemán al que había conocido hacía un año se excitara con la escultura. Él también podría llegar a hacerlo, siempre y cuando del mármol emanara la esencia a excitación que tan precisa le era para despertar su extraña libido. Lástima que el mármol fuera inerte, muchos de sus problemas se solucionarían si pudiera excitarse con estatuas, eran infinitamente menos complicadas que las personas. Se encogió de hombros dando por zanjado el tema. Él, al igual que el resto de los mortales, no había tenido la opción de elegir su perversión. De haberla tenido, no hubiera escogido la más difícil de complacer de todas. Hundió los pulgares en los bolsillos de la casaca roja y se dispuso a aguardar paciente a quien esperaba fuera la solución al pertinaz tedio que le asediaba desde hacía ya demasiado tiempo.

Tras su primer y, por el momento, único encuentro con el remiso alemán, se había dedicado a seguir haciendo lo que había hecho antes de toparse con él: deambular por el mundo en busca de otros como él y como Eberhard. Personas con una singularidad que les hacía especiales: su capacidad, o necesidad, de estimularse sexualmente por medios distintos a los convencionales. No había resultado fácil encontrar ese tipo específico de personas. O sí. Encontrarlos sí era fácil. Lo difícil era conseguir entablar algún simulacro de amistad con ellos. Verlos follar, sí, sin problemas; muchos estaban encantados de exhibirse. Compartir sus lúbricas fantasías, por supuesto; todos ellos ansiaban oyentes a los que excitar. Participar en orgiásticos juegos sexuales en compañía de más personas que dedos tenían sus manos, también; le aceptaban aunque él se empeñara en ejercer únicamente de observador... De hecho, desde que había conquistado su libertad, había asistido a cientos de encuentros sexuales de las más diversas variaciones, de los más dulces a los más brutales, de los más convencionales a los más imaginativos, pero eso no era suficiente. No para él.

Antaño había estado seguro de que el olor de la excitación unido a la esencia turbada e impaciente que se daba en los que jugaban con las mal llamadas desviaciones sexuales era suficiente para satisfacerle. Se había equivocado. Sí, el particular aroma que emanaba de los sujetos que experimentaban distintas formas de exaltación sexual era impactante, pero no tanto como el que emanaba de aquellos que además albergaban profundos sentimientos en su interior. Y eso era lo difícil de encontrar. Casi imposible a tenor de los meses que había pasado buscando hallar la misma esencia que despedía Eberhard, sin conseguirlo.

En el oscuro mundo de las perversiones sexuales el testarudo alemán era especial. Estaba enamorado, algo muy poco frecuente... y eso le excitaba. Mucho. Y también le causaba envidia. Mucha. Una envidia sana y reverente, pero envidia al fin y al cabo.

Y por si eso no fuera suficiente, a su inquietud había que añadirle el hastío que últimamente sentía ante todo y el obstinado anhelo de formar de nuevo parte de una comunidad, aunque fuera de forma fingida. Mucho se temía que, tras casi dos años de autoimpuesta y deseada soledad, había descubierto que los hombres no eran más que animales sociales, necesitados de compañía. Y él, en contra de sus pretensiones y por mucho que le pesara o intentara ignorarlo, entraba dentro de la especie humana, y, sí, echaba en falta un compañero. Por eso mismo había decidido hacer lo que se juró a sí mismo no volver a repetir. Iba a comprarse un amigo, pero no podía ser uno cualquiera. No. Esta vez elegiría bien. Sería alguien afín a él. Porque, si a algo no estaba dispuesto, era a volver a ocultar quién era. Por tanto, necesitaba a alguien que no se asustara de su descarnada sinceridad, ni de su extravagante sexualidad. Y con ese fin había puesto en marcha un magnífico plan. Lo único que le faltaba era encontrar a ese futuro y ficticio amigo.

—No será complicado —musitó para sí mientras buscaba un rincón cerca de la escultura en el que poder librarse de la multitud que recorría la galería—. Antes o después lo encontraré, solo tengo que tener paciencia y esperar a que llegue. Al fin y al cabo hoy es el día posterior al solsticio de verano, y estoy en el sitio adecuado.

Todo había cambiado. Pasear por Florencia solo le había hecho ser más consciente de hasta qué punto llegaba su depravación. Se había vuelto a empalmar ante el *David*, su polla había derramado lágrimas de semen al recorrer las calles de la ciudad y deleitarse con las estatuas que la habitaban. Y al caer la noche, en el hotel, se había masturbado a dos manos mientras las imágenes de lo visto durante el día se mezclaban con los recuerdos de su esposa sonriéndole, besándole, follándole con la boca, haciéndole el amor... Había sido tan incapaz de distanciarse de su recuerdo como de eliminar de su pervertida mente las estatuas que había visto. Y eso le atormentaba.

Antes de conocer a Sofía, esperaba impaciente durante

todo el año a que llegara el momento de pisar suelo italiano y sumergirse durante cuarenta y ocho horas de delirio en la perversión que le obsesionaba. A nadie le importaba excepto a él, porque no había nadie a quien pudiera hacer daño descubrir su perturbador secreto. Ahora era distinto. Amaba a Sofía, y ella se sentiría herida si descubriera hasta qué punto le era infiel.

Al principio solo lo había sido durante sus sueños, hasta que los sueños poco a poco penetraron en la vida real, acosándole con indeseadas evocaciones cada vez que hacía el amor. Y no podía hacer nada para evitarlo, aunque lo había intentado todo. Incluso espaciar sus encuentros sexuales con su esposa. Y como resultado la pasión había caído en picado. Solo la testarudez de Sofía había conseguido salvar su matrimonio y contener, en cierta medida, su angustia.

—Y yo se lo recompenso poniéndole los cuernos con cualquier estatua que tenga delante —musitó enfadado consigo mismo mientras entraba en la Galería Borghese.

Sus pies siguieron los pasillos tantas veces recorridos, hasta que se encontró frente a ella. La dueña de su obsesión, la causante de su tormento, el motivo de que su vida estuviera patas arriba y su alma desgarrada. La admiró mientras dejaba que la excitación endureciera su pene y torturara sus testículos. Envidió los dedos que Plutón hundía en los dulces muslos de la diosa, adoró los redondeados pechos que respiraban agitados y se conmovió con las límpidas lágrimas que caían por sus mejillas. ¿Qué clase de sátiro era que se excitaba con la amargura de un secuestro? Pero no era la acción que mostraba la escultura lo que le excitaba, sino el alma descarnada que sentía en ella.

—¡Qué tremenda sorpresa! Un año sin verte y, cuando de nuevo nos encontramos, ¡descubro que te has casado! —exclamó una voz conocida junto a él.

Eberhard se giró y comprobó atónito que tenía frente a sí al enigmático polaco que había conocido el año anterior. Y que seguía siendo tan extravagante como la última vez que se vieran. Había cambiado el color y el corte de su pelo. Ahora era de un rabioso y artificial naranja y salía disparado en tiesos mechones, pero sus ojos bicolores, libres del maquillaje que antaño los cubría, seguían siendo igual de expresivos y perturbadores. Vestía un ajustado pantalón de cuero negro y una ceñida casaca roja que por delante terminaba al ras de la cintura mientras que, en la espalda, los largos y picudos faldones caían hasta las corvas. Y por si no llamara poco la atención con ese extravagante atuendo, no se había molestado en ponerse camisa alguna bajo la casaca... ni tampoco en abrocharse los botones de esta, lo que dejaba al descubierto su fibroso y lampiño torso.

—¿Debo suponer que tu esposa es la novia de la que tan enamorado estabas y a la que pretendías guardar fidelidad a toda costa? —inquirió Karol señalando la alianza de oro que destellaba en la mano del alemán.

—Sí... —musitó Eberhard estupefacto. ¿Qué hacía ese tipo en la galería? ¡Y con esas pintas!

—Te felicito por tu valor, yo hubiera sido incapaz de atarme para toda la eternidad —le ensalzó Karol posando una amistosa mano sobre su hombro—. De todos modos, dime: ¿has conseguido serle fiel como pretendías? ¿O cierta diosa pétrea se ha inmiscuido en tus asuntos? —inquirió ladino.

—¿Y a ti qué cojones te importa? —le espetó Eberhard retornando a la realidad y alejándose furioso de él. ¡Maldito fuera por su perspicacia!

—Oh, qué lástima —suspiró Karol yendo tras él—. Por lo que veo no eres tan feliz como pretendes aparentar... aunque, por mor de la sinceridad, debo advertirte de que finges fatal. Se te ve ligeramente atormentado. Una pizca nada más —afirmó irónico.

—¡Qué sabrás tú, fantoche!

Eberhard aceleró sus pasos para deshacerse de su perseguidor, pero este no se dio por aludido.

—Tengo un olfato prodigioso, ¿no lo recuerdas? No solo puedo oler tu excitación... —Sacó su sempiterno pañuelo rojo bañado en Chanel N.º 5 para sacudirlo ante su rostro—. Te aseguro que el tufo a desesperación que desprendes me está mareando...

—Vete al infierno —le increpó Eberhard enfadado por ser tan transparente.

—Quizá ya estoy en él... al igual que tú —replicó Karol con inusitada seriedad.

Eberhard detuvo su errático deambular y se encaró al insólito hombre dispuesto a librarse de él de una vez por todas. Y, tal como le pasara hacía exactamente un año cuando sus miradas se enfrentaron, la soledad y vulnerabilidad reflejada en los ojos bicolores le hicieron frenar la lengua y moderar su mal genio.

—¿Qué quieres de mí? —musitó.

—Somos dos tipos extraños tú y yo, distintos a todos los demás. Mi única intención es compartir una charla franca con alguien a quien me une cierta... afinidad —mintió, o al menos no expuso toda la verdad.

—Tú y yo no tenemos ninguna afinidad.

—¿No? ¿De verdad lo crees? Vaya... entonces soy yo el que está equivocado. Qué lástima, había esperado que nuestra extraña manera de percibir la sexualidad pudiera hacernos compartir una sinceridad que, al menos a mí, me está vetada con el común de las personas. Pero si no lo crees así, entonces, para qué molestarnos. Me niego a intercambiar palabras vanas y frases vacías contigo, eso ya lo tengo a raudales en mi vida, no me hace falta más —expuso Karol con total frialdad—. Llegó pues la hora de la despedida, ha sido un placer volver a verte —se despidió con una refinada venia que acompañó de una perfumada floritura.

«¿Qué clase de tipo raro es capaz de despedirse con tanta ceremonia en pleno siglo XXI?», pensó Eberhard para sí mientras veía alejarse al extraño personaje. Un instante después supo la respuesta. «Un loco al que todo le da lo mismo... o un hombre que ha tenido el valor de aceptar sus defectos, sus virtudes y sus... perversiones, y que no teme mostrarse ante el mundo tal y como es.» Y su instinto le decía que Karol era alguien digno de admiración, no de escarnio.

—¡Espera! —le llamó yendo tras él.

El polaco se giró lentamente y le miró con una ceja alzada, instándole a hablar.

—Está siendo más... complicado de lo previsto —musitó Eberhard.

—¿Qué es más complicado?

—Mi matrimonio —confesó tras dudar un instante. Al fin y al cabo, qué mejor persona a la que revelar su vergüenza que alguien que no vivía en su país, no conocía a sus amigos y no iba a juzgarle. A veces era mucho más fácil hablar con desconocidos que con conocidos—. Pensé que cuando viviera con Sofía podría dejar fuera de la ecuación mi... obsesión por las estatuas. Y no ha sido así.

—Ni lo será. Jamás podrás deshacerte de ella —sentenció.

Eberhard se metió las manos en los bolsillos del pantalón y desvió la mirada al suelo mientras pensaba cómo contradecir esa afirmación, pero ninguna palabra acudió en su auxilio.

—Unirte a alguien para toda la vida nunca es sencillo —afirmó Karol comprensivo—. Y si estás realmente enamorado todavía es más difícil. ¿Cómo contar a tu amada lo que te avergüenza? ¿Debes arriesgarte a perder aquello que más amas por culpa de tus secretos o es preferible callar para siempre y vivir en la mentira? —musitó apoyando una mano en el hombro del alemán—. Las personas como nosotros solo tienen dos caminos, y ambos transitan sobre el abismo de la desesperación. Solo si has sido afortunado y has sabido elegir a una persona que corresponda a tu amor con tu misma intensidad y valentía, puedes tener una opción de ser feliz... pero, para alcanzarla, es requisito imprescindible aceptar el riesgo y caminar sobre el precipicio.

—¿Cuáles son esos dos caminos? —inquirió Eberhard entornando los ojos. Ya estaba al borde del abismo. Llevaba allí desde que Proserpina se metió en su matrimonio. Poco le importaba caminar un poco más y lanzarse a él. Y si había alguna opción de salir indemne, bienvenida fuera.

—El primero de ellos parece el más directo y sencillo para alcanzar la esquiva felicidad, pero está abocado al fracaso. Consiste en guardar tu secreto y vivir por siempre con el temor de cometer algún error que permita a la persona amada descubrir lo que escondes en tu interior. Es el camino que todos tomamos al principio —declaró Karol—. Y del que muy pocos conseguimos salir.

—¿Y cuál es el otro?

—Una larga senda, estrecha y tortuosa, llena de pruebas que se presentarán como peligrosas trampas imposibles de superar, y que te tentarán a dar media vuelta y retomar el camino recto y, en apariencia, más seguro.

—¡Déjate de metáforas y habla claro! —explotó Eberhard.

—La franqueza es el único camino posible para esquivar el abismo —sentenció con rotundidad el polaco—. Sincérate con ella. Muéstrale tu alma y confiésale la verdad. Y mientras lo haces, reza por no haberte equivocado al depositar tu amor en ella, y ruega a todos los dioses que conozcas para que te quiera tanto como crees y sepa aceptarte tal y como eres.

—¿Y si no lo hace?

Karol se mantuvo en silencio un instante mientras sus ojos bicolores parecían perderse entre las brumas de un tiempo lejano.

—Sentirás que tus entrañas se desgarran y tu mundo se derrumba. Pensarás durante un tiempo que no merece la pena seguir viviendo mientras anhelas besos que jamás volverás a recibir. Y llegará un momento en que codiciarás dormirte entre los dulces brazos de la dama de la guadaña y perderte en el olvido eterno —sentenció en voz tan baja que Eberhard tuvo que esforzarse para poder escucharle—. Si eres fuerte, te obligarás a luchar contra la desesperación y vivir. La herida acabará cerrándose, pero la cicatriz permanecerá imborrable en tu alma, recordándote que erraste al elegir a la persona en la que depositar tu confianza, imposibilitándote a entregar de nuevo tu alma.

—No lo pintas nada bien —murmuró Eberhard, intentando con sus palabras que se disipara la amargura que parecía haber caído sobre su... ¿amigo?

—Solo soy sincero —declaró Karol centrando su mirada en él—. Hace tiempo que decidí no volver a mentir, aunque te aviso de que no siempre digo toda la verdad.

—Entonces mientes —comentó Eberhard mordaz.

—No. Simplemente callo.

Eberhard entornó los ojos, pensativo. Tanta sinceridad podía resultar abrumadora, más aún si venía de alguien tan singular como su extraño compañero.

—No pareces estar disfrutando mucho de la visita, y la galería se está llenando de gente, con sus correspondientes tufos a sudor, admiración y aburrimiento por parte de personas con limitada sensibilidad —comentó Karol echando un vistazo a su alrededor a la vez que sacudía su sempiterno pañuelo frente a él—. Acompáñame, hay algo que quiero mostrarte.

Y, sin más, echó a andar hacia la salida.

Eberhard le siguió.

—¿Qué hacemos aquí? —preguntó Eberhard al bajar del taxi que habían tomado al salir de la Galería Borghese.

Estaban en un polígono industrial a las afueras de Roma, frente a un taller de escultura.

—Estás a punto de descubrirlo —se limitó a responder Karol antes de continuar hablando en italiano con el taxista.

Un segundo después se bajó del coche mientras el conductor apagaba el motor y se recostaba sobre el asiento cerrando los ojos como si fuera a echar una ligera siesta.

—¿Nunca te has preguntado cómo se hace una estatua? —preguntó Karol dirigiéndose hacia uno de los edificios de puertas y tejados de chapa.

—No, la verdad. Me basta con verlas sobre sus pedestales —comentó Eberhard mirando a su alrededor.

Era mediodía, hacía un sol de justicia y estaban en mitad de una carretera desierta rodeada de naves industriales de las que no salía ni un solo ruido, lo que parecía indicar que ellos eran los únicos locos que estaban allí a esa hora.

—¿Dónde ha quedado la divina curiosidad? —exclamó Karol mirando al cielo, y, antes de que Eberhard pudiera replicar, continuó hablando—. Yo te lo diré, olvidada. Una verdadera lástima. Pongámosle remedio.

Y sin más preámbulos se acercó a la puerta metálica de la nave y la golpeó con los nudillos. Un instante después, un hombre de pelo escaso, barba de varios días y barriga de muchas cervezas abrió la puerta y, tras mirar con disimulo a ambos lados de la calle, les indicó con un gesto que se apresuraran a entrar. El interior era un inmenso espacio diáfano y luminoso. El espeso polvo grisáceo que parecía flotar en el aire cubría los cientos de tablones, escaleras y estanterías que bregaban entre sí por ocupar cada centímetro disponible de las paredes. En el centro del recinto, y dispuestos sin orden aparente, bloques de mármol de diversos tamaños, esculturas en distintos estados de elaboración y olvidados modelos de arcilla parecían esperar pacientes a que alguien acabara de darles forma.

Eberhard observó curioso lo que le rodeaba mientras su amigo hablaba con el hombre que les había abierto la puerta. Tras unos instantes de fluida conversación en italiano, ambos parecieron llegar a un acuerdo y, tras intercambiar un apretón de manos en el que iba incluido un mullido sobre, el dueño del taller abandonó el lugar esbozando una cáustica y desagradable sonrisa. Un segundo después se oyó el inequívoco sonido de una llave girando en la cerradura. Eberhard corrió hacia la puerta e intentó abrirla sin éxito. Karol, por su parte, se limitó a asentir satisfecho.

—¿Por qué se ha ido dejándonos encerrados aquí? —inquirió Eberhard atónito por la escena que acababa de presenciar. No hablaba italiano, pero la mirada del hombrecillo, la avidez con la que había cogido el sobre y la sonrisa que les había dedicado hablaban por sí mismas. Y no le gustaba absolutamente nada lo que decían.

—Acabo de comprar dos horas de soledad —respondió Karol encogiéndose de hombros antes de dirigirse hacia una de las estatuas casi terminadas—. Apresurémonos, el tiempo pasa volando.

—¿Has hecho qué? No me lo puedo creer. —Lo miró

boquiabierto—. Me traes al fin del mundo, a un lugar desierto en donde no hay un alma y pagas a... a un mafioso para que nos deje encerrados en... en... ¡Aquí! —exclamó.

—Oh, por favor, no seas obtuso. Seguimos en Roma, no hay gente porque es sábado y el hombrecillo que tan amablemente nos ha cedido su taller no es un mafioso sino un avaricioso. Y ahora, si ha quedado todo claro, dejemos de perder el tiempo con preguntas necias y empleémoslo en labores más placenteras —le exhortó impaciente deteniéndose frente a una brillante réplica del *David* a tamaño natural—. ¿Nunca te has preguntado por qué algunas estatuas brillan más que otras?

—Pues no. Lo que me pregunto es ¡¿cómo se te ocurre pagarle a un tío al que no conoces de nada, y que, digas lo que digas, tiene pinta de mafioso, para que nos deje encerrados aquí?! —aulló Eberhard, remiso a separarse de la puerta para pasear despreocupado por el lugar. ¡El gánster podría aparecer en cualquier momento para robarles, pegarles un tiro... o cualquier otra cosa peor!

—Yo no he dicho que no lo conociera de nada —declaró Karol acariciando ensimismado la superficie de la escultura—. A algunas estatuas les dan el último pulido con una gamuza empapada en ácido oxálico, por eso brillan tanto. Con otras utilizan la lija al agua. He ahí la diferencia.

—¿Qué?

—El ácido oxálico es el culpable de...

—Ya, eso lo he captado. Me refiero a que... ¡conoces al mafioso!

—Sí, hace meses. Y no es un mafioso —resopló Karol aburrido—, es un avaro enamorado del dinero, y yo no solo tengo mucho, si no que me gusta gastarlo en... objetos interesantes. Por tanto, nos llevamos bastante bien. Yo ordeno y él obedece, previo pago, por supuesto —apuntó encogiéndose de hombros con indiferencia—. Le he encargado varias esculturas para mi casa… y, como hace una semana terminó la última, he pensado que sería interesante verla. Ya lo ves, no hay ningún misterio.

—¿Y para ver una estatua tienes que comprar al tipo para que nos encierre aquí durante dos horas?

—Sí —aseveró rotundo.

—Estás loco…

—¿Quién es más loco: el loco o el loco que sigue al loco?[1] —preguntó indiferente mientras se dirigía a otra estatua.

—Yo soy el más loco —musitó Eberhard siguiéndole mientras miraba con recelo a su alrededor.

Muchas estatuas estaban a medio tallar, dando la impresión de que el alma que habitaba en ellas intentaba escapar de su prisión marmórea; otras eran simples bloques pétreos con apenas un esbozo de lo que contenían en su interior.

—La creación de una escultura es similar a desnudar lentamente el alma de una mujer —comentó Karol deteniéndose ante una enorme pieza de mármol sin desbastar—. He aquí la primera vez que ves a tu dama —señaló el níveo bloque rectangular de redondeadas aristas—, tiene las defensas levantadas y solo te permite vislumbrar su belleza exterior. Pero el hombre siente la pasión que se esconde bajo su indiferencia y, al igual que el escultor, va desbastando con metódico cuidado las capas que recubren su alma —musitó ensimismado mientras caminaba hacia un bloque a medio tallar en el que se podían apreciar de forma difusa las extremidades, el torso y la cabeza emergiendo del mármol—. Y una vez que el espíritu de la

1. Frase de Obi-Wan Kenobi a Han Solo en *La guerra de las galaxias. Episodio IV: una nueva esperanza.*

dama comienza a aflorar, el hombre, al igual que el escultor, está perdido. Se ve impelido a descubrir lo que se oculta en su interior. Y, armado con un cincel hecho de admiración y ternura, va desgastando las defensas de su amada hasta que esta le permite conquistarla —afirmó situándose frente a una obra casi terminada—. Y es entonces cuando nosotros, simples hombres incapaces de entender la perfección de la trampa femenina, al ver su alma divina reflejada en sus ojos inocentes y sus labios sonrientes, caemos postrados a sus pies —murmuró acariciando los rasgos sin pulir de la escultura—. Llegados a este momento, ya no hay posibilidad de escapar. Solo nos resta confiar en que lo que se muestra ante nuestra mirada sea real y no un espejismo —afirmó dirigiéndose hacia una puerta cerrada, casi oculta por las estanterías que ocupaban la pared de la nave.

Eberhard lo siguió, intrigado por el intenso pesar que percibía en su voz. Y se quedó petrificado en el mismo momento en que traspasó la puerta. Estaban en un amplio almacén, rodeados de obras cubiertas por blancos lienzos, excepto una, que acechaba entre sus espectrales hermanas oculta bajo una sábana de brillante seda roja.

—¿Qué es el alma si no la fantasmal esencia de lo que ha sido, es y será? —musitó Karol situándose frente a la estatua que destacaba entre todas las demás—. ¿Estás preparado para acariciar el alma de tu diosa? —preguntó antes de retirar con un pomposo gesto el lienzo que la cubría.

Eberhard inspiró profundamente al ver aparecer ante su vista una réplica de *El rapto de Proserpina.* El conocido deseo que hasta entonces había conseguido mantener bajo control se desató con fuerza en su interior, arrasando hasta el más mínimo ápice de cordura a su paso.

—Ah, es perfecta —declaró Karol acariciando los pétreos pies de la diosa.

Eberhard avanzó despacio hasta donde se encontraba su amigo y extendió una mano, remiso y a la vez impaciente por acariciar lo que durante tanto tiempo le había sido negado.

—Adelante, no tengas miedo —le instó Karol—; es solo una estatua, no tiene alma. ¿O tal vez sí? —susurró deslizando los dedos por las níveas piernas de Proserpina.

Eberhard bajó la mano que mantenía alzada y dio un paso atrás al comprobar que la obsesión que tanto había intentado dominar durante toda su vida estaba a punto de dominarle. Cerró los ojos y sacudió con brusquedad la cabeza antes de volver a abrirlos. Su mirada volvió a caer sobre los dos dioses enfrentados: Plutón dominado por la lujuria y Proserpina por el miedo, las mismas emociones que combatían en su propia alma, desgarrándola.

—¿Qué pretendes? —preguntó en voz baja al polaco sin conseguir desviar la mirada de la estatua.

—¿No es obvio? Pretendo hacer realidad tu fantasía.

—¿Por qué? —musitó acercándose de nuevo a la escultura para acariciarla con dedos trémulos.

—Porque quiero oler tu pasión mientras te corres acariciando a la diosa de la que estás enamorado.

—Eres un pervertido.

—Nunca lo he negado.

—No pienso follar contigo —murmuró Eberhard recorriendo ensimismado el pulido mármol con las yemas.

—Lo sé. No te van los hombres, ya me lo dijiste —afirmó Karol. Posó la palma de la mano sobre la entrepierna del dios y comenzó a acariciarla lentamente. Un jadeo estrangulado escapó de los labios del alemán—. Y aunque no fuera así, soy yo el que no está interesado en follar contigo… ni con nadie. No me interesan los placeres carnales que otros puedan proporcionarme. Como ya te dije una vez, soy un ferviente seguidor del onanismo y no tengo intención de cambiar de parecer —musitó jugando con las yemas sobre el vello púbico de Plutón.

Eberhard fijó la mirada en los acariciantes dedos del polaco. Apoyó la cabeza sobre la cadera de la diosa y frotó su mejilla contra ella, sintiendo cómo su polla palpitante presionaba contra la tela de los pantalones.

—¿Por qué? —gimió deslizando lentamente el rostro por el cuerpo de Proserpina, acariciando con los labios las marmóreas nalgas, la estrecha cintura y los dedos masculinos que se hundían en ella.

—¿Por qué solo dejo que me follen mis manos? —interpretó Karol el susurro del alemán—. Nací con un afinado sentido del olfato que me permite oler el deseo sexual. No hay más misterio; una aberración en un ser aberrante —explicó burlándose de sí mismo con una mirada tan atormentada que era imposible tomar sus palabras a broma—. Y gracias a esto, he descubierto que el placer llega a nosotros a través del tacto, la vista, el oído… el olfato. Es nuestra cabeza interpretando lo que sentimos quien nos lleva al éxtasis, no las personas. Las personas pueden traicionarnos, nuestros sentidos no. Y yo odio la traición, por tanto procuro mantenerme a una distancia prudencial de las personas.

—No hay nada más hermoso que hacer el amor con quien amamos —replicó Eberhard en voz baja mientras una de sus manos acariciaba el vientre femenino y ascendía hasta los pequeños pechos de redondeados pezones.

—Estoy totalmente de acuerdo contigo. —Karol se alejó unos pasos de la estatua para poder observar mejor la escena que se desarrollaba ante él—. No hay nada mejor que follar con la persona a la que amas… y que te ama —apuntó a la vez que cerraba los ojos e inhalaba la sensual esencia que emanaba del alemán—. En mi caso, ambas personas son solo una. Yo mismo. De ahí mi pasión por el onanismo. —Se apoyó contra una de las veladas estatuas—. No todos tenemos la suerte de estar enamorados... y ser correspondidos —musitó a la vez que deslizaba la mano bajo la cinturilla de su pantalones.

Eberhard cerró los ojos y asintió con la cabeza sin prestarle atención mientras una vorágine imparable de imágenes se representaba en el interior de sus párpados. Sofía estaba con él en su imaginación, convertida en Proserpina, haciéndose una con la diosa. Era a ella a quien acariciaba, a quien besaba. Era su rostro de facciones perfectas el que le observaba, sus labios voluptuosos los que le instaban a continuar, sus cálidos ojos los que le miraban complacidos. Inmerso en su fantasía e incapaz de encontrar un resquicio de cordura que le obligara a detenerse, se desabrochó los botones del pantalón y dejó libre su erección. Envolvió con la mano el tobillo que la diosa tenía alzado y pegó su grueso pene contra la planta del pétreo pie. Todo su cuerpo tembló al sentir la suave dureza del mármol contra su rígida polla. Se aferró con la mano libre al musculoso antebrazo de Plutón, apoyó la cabeza en el cuerpo de Proserpina, e, ignorando los agudos dientes del can Cerbero que se apretaban contra su pierna, comenzó a mecer las caderas, frotando su impaciente verga contra la curvada planta del pie que la acunaba. El placer aumentó de forma exponencial con cada roce, sumergiéndole más y más en el éxtasis que las caricias que Sofía, transmutada en la diosa, le prodigaba. Su mente fluctuó, mostrándole a ambas mujeres, la presente y la imaginaria, hasta que todo su ser vibró presa de un orgasmo tan poderoso que le hizo caer desmadejado frente a la escultura.

Karol inspiró profundamente el embriagador aroma que emanaba del alemán y apretó con fuerza los dedos con los que se había ceñido la polla en el mismo instante en que el alemán había cerrado los ojos rindiéndose al deseo. Se había masturbado con lentitud mientras inhalaba su esencia y observaba embelesado los cambios que se sucedían en el rostro de su remiso compañero. La pasión en la que se iba sumergiendo poco a poco le había hecho jadear. El placer que se dibujaba en las tensas facciones de Eberhard mientras daba rienda suelta a su deseo le había recordado lo que él mismo había anhelado y luchado por conseguir. El arrebatador éxtasis que vio reflejado en su cara cuando el orgasmo le sacudió imparable robándole las fuerzas le hizo ambicionar una respuesta, cuyo conocimiento solo le procuraría dolor.

—¿A quién has visto cuando el orgasmo te ha sometido? —preguntó odiándose por su necesidad de saber.

—A Sofía —musitó Eberhard derrotado.

—Por eso ha sido tan hermoso… —susurró en voz tan baja que Eberhard no pudo oírle. Sacó la mano de los pantalones, negándose el éxtasis que ya no deseaba y avanzó hasta situarse frente a su compañero—. ¿Puedes llegar a imaginar lo sublime que sería si estuvieras acompañado, además de por tu diosa, por la mujer a la que amas? —preguntó con solemnidad.

Eberhard emitió una amarga carcajada a la vez que abrochaba los botones del pantalón y se sentaba en el suelo.

—Acabo de ser infiel a mi mujer por culpa de una obsesión que llevo años intentando desterrar de mi mente y tú me pides que imagine cómo sería llevarla más allá, mostrándole a Sofía lo depravado que puedo llegar a ser —replicó con acritud—. Estás loco —afirmó—. Y yo también. Deberían encerrarnos a los dos en el mismo manicomio.

—No estoy loco… y tú tampoco —replicó Karol con serenidad.

—Si no lo estoy, dime qué excusa puedo esgrimir para explicar la aberración que acabo de hacer. ¡Le he puesto los cuernos a Sofía con una maldita estatua! —exclamó pasándose las manos por el pelo.

—¿Aberración? —Karol se echó a reír con fuerza al escucharle.

—No te burles —masculló Eberhard poniéndose en pie para enfrentarse a él amenazante.

—¿Cómo no voy a hacerlo? Es tan divertido... Llamas aberración a masturbarte con una estatua y, sin embargo, no te parece aberrante mentir a tu esposa cada vez que al hacerle el amor piensas en Proserpina. ¡Es lo más estúpido que he oído en mi vida!

—Sí me parece aberrante —musitó Eberhard pasándose las manos por el pelo—. Siempre me lo ha parecido, pero es necesario mentirle; no tengo otra opción. Tú no lo puedes entender —afirmó con los dientes apretados.

—Oh, por supuesto que lo entiendo. Amas a tu mujer, adoras el suelo que pisa, envidias el aire que respira y demás estupideces de poetas —declaró sacando el pañuelo de seda roja empapado en Chanel N.º 5 y sacudiéndolo ante él. No soportaba el tufo a desesperación y vergüenza que emanaba del alemán. Le recordaba demasiado al que antaño había emanado de él mismo—. La quieres tanto que te duele no poder ser sincero, pero a la vez te aterra confesar tu oscuro secreto porque sabes que si ella te rechazara no podrías soportarlo —dijo fijando su mirada bicolor en un punto lejano—. Pero de nada sirve fingir, antes o después cometerás un error y tu secreto saldrá a la luz. Y entonces ya no podrás hacer nada por evitar su mirada horrorizada —aseveró con insoslayable rotundidad—. Haz caso a este monstruo que sabe mejor que nadie lo que sientes —dijo clavando sus ojos bicolores en Eberhard—. No esperes a que sea demasiado tarde, crea tu momento perfecto, monta un romántico escenario y confiésale contrito tu perversión.

—¿Y arriesgarme a perderla?

—¿Merece la pena vivir a medias por una mujer que quizá no te ame como tú la amas?

—Sofía me quiere tanto como yo a ella.

—Entonces permítele que te lo demuestre aceptándote tal y como eres.

Eberhard negó con la cabeza e, ignorando el desafío implícito en la voz del polaco, giró sobre sus pies y se dirigió a la puerta. Karol se encogió de hombros y, tras colocarse parsimonioso la casaca y los pantalones, limpió con un lienzo los restos de semen del pie de Proserpina y cubrió de nuevo la estatua con la sábana de seda roja. Se entretuvo en colocar los pliegues de la tela hasta que cayeron gráciles y, una vez satisfecho, recogió un estuche de terciopelo rojo que se encontraba oculto tras el blanco velo de una de las estatuas y se encaminó a la salida del almacén.

Eberhard, frente a la puerta que daba a la calle, recorría nervioso el espacio que había hasta el primer bloque de mármol mientras murmuraba para sí y negaba con la cabeza. En algunas ocasiones se pasaba las manos por la nuca y apretaba con fuerza los brazos en torno a su rostro; en otras se quedaba inmóvil, cerraba los ojos y se inclinaba como si fuera a caer mientras se abrazaba el estómago. El aroma de la desesperación emanaba de él en oleadas de turbación y vergüenza.

—En España hay un dicho... ¿cómo era? —murmuró Karol acercándose a él mientras se tapaba la nariz con el pañuelo—. «Todo tiene solución menos la muerte.» Estás vivo, ergo tu problema tiene solución. Solo tienes que encontrarla.

—Como si eso fuera fácil —mascculló Eberhard mirando el reloj. ¿Habrían pasado ya dos horas? Estaba deseando largarse de allí y no volver a encontrarse con el polaco en su vida. Bastantes problemas tenía ya como para soportar que este se divirtiera hurgando en su conciencia, tentándole con lo que no debería desear y desafiándole a confesar lo que no quería siquiera imaginar.

—Quizás no es tan difícil como crees, quizá solo sea necesario un pequeño esfuerzo para alcanzar la felicidad —afirmó Karol tendiéndole el estuche de terciopelo.

—¿Qué es esto? —preguntó Eberhard remiso a aceptar nada del extravagante personaje.

—Un obsequio, la primera y la más pequeña de las ondas concéntricas que se crean en la cristalina superficie de un lago cuando una piedra cae en ella.

—¿Qué? —Eberhard entornó los ojos y miró atónito a su compañero. ¿Qué narices significaba eso?

—Quiero decir que lo que contiene el estuche te puede dar pie a exponer una ínfima parte de tu secreto. Luego solo es cuestión de ir ampliando poco a poco la información que le des a tu esposa —explicó Karol poniendo los ojos en blanco. ¡No era tan difícil de entender!

—Tan claro como el agua —masculló Eberhard mordaz negando con la cabeza a la vez que abría el estuche—. ¡Qué narices es esto!

—No me digas que tampoco lo sabes —exclamó Karol con fingida sorpresa.

—Joder, ¡claro que lo sé! Me refiero a... ¿por qué me regalas esto a mí? ¿Qué narices pretendes que haga con ello?

—Enséñaselo a tu esposa, proponle jugar... y, si acepta de buena gana, usa tu imaginación para idear un plan en el que acabes sincerándote con ella. Como intentaba explicarte al principio, esto puede ser la primera y más pequeña de las ondas que...

—Recuerdo esa parte —le cortó Eberhard cerrando el estuche y devolviéndoselo—. No lo quiero.

—Pues véndelo en eBay. Es un artículo de coleccionista,

estoy seguro de que te ofrecerán mucho dinero por él —afirmó indiferente antes de mirar la hora en el reloj de su muñeca—. Me temo que nuestro tiempo aquí ha llegado a su fin. —Sacó unas llaves del bolsillo de su pantalón y abrió la puerta.

—¿Las has tenido todo el tiempo? —Eberhard lo miró estupefacto.

—Por supuesto. Le exigí a tu supuesto mafioso una copia de las llaves a cambio del montón de dinero que le di. ¿No me creerás tan estúpido como para quedarme aquí encerrado sin tener la posibilidad de salir si así lo deseara? —respondió burlón saliendo al exterior, donde el sol de la tarde les recibió con fuerza.

—No me lo puedo creer... me dijiste que estábamos encerrados —resopló Eberhard siguiéndole.

—Y así era, no te mentí.

—Pero podrías haber abierto la puerta en cualquier momento.

—Sí —afirmó Karol cerrando con llave.

—Eso no me lo dijiste, y era una información que me hubiera gustado tener —le espetó irónico.

—Te avisé de que no siempre explico toda la verdad —se encogió de hombros y echó las llaves en el buzón—. A veces callo.

—¡Eres un maldito cabrón! —gritó Eberhard aferrándole del cuello de la casaca y empujándole contra la pared—. ¡Me has encerrado ahí sin necesidad! ¡Podríamos haber salido en cualquier momento y no lo has permitido! ¿Tienes la más remota idea de cómo me siento? ¿De lo mucho que aborrezco lo que me has obligado a hacer?

—No te he obligado a hacer nada —replicó Karol sin molestarse en intentar zafarse de su agarre—. Ni siquiera he tenido que empujarte... Tú solito te has lanzado a los brazos de tu diosa para frotar tu polla contra ella y disfrutar de un maravilloso orgasmo. Deberías estar agradecido, no furioso.

—¡¿Agradecido?! No sabes lo que has hecho... —siseó con los dientes apretados a la vez que le golpeaba de nuevo contra la pared.

—Claro que lo sé, te he obligado a abrir los ojos...

—Señor, ¿tiene problemas? —preguntó en ese momento el taxista en un titubeante español.

Eberhard se apresuró a separarse del polaco emitiendo un frustrado gruñido.

—No, en absoluto. Mi camarada y yo solo... charlábamos amigablemente —respondió Karol, divertido ante la reacción de su ¿amigo?—. Será mejor que sonrías antes de subir al taxi, el conductor no parece muy convencido de tus buenas intenciones —susurró a Eberhard.

—¿También has comprado al taxista? —mascullό este con rabia.

—El dinero lo compra todo. Todo, menos la felicidad... o la razón. Pero no, en este caso no he comprado a nadie, nuestro amable taxista solo se ha limitado a esperar a sus clientes —replicó Karol sentándose en el asiento trasero del vehículo.

Eberhard abrió la puerta del acompañante, pero la mirada furiosa del dueño del taxi le hizo recular y sentarse junto al polaco.

—Imagino que estarás deseando deshacerte de mí —comentó este antes de indicarle al conductor que les llevara al hotel Parco Dei Principi. Eberhard se limitó a asentir con la cabeza.

Se mantuvieron silentes durante el trayecto y, solo cuando el taxi se detuvo frente a la ornamentada entrada del hotel, Karol miró a su testarudo compañero con inusitada seriedad y se decidió a hablar.

—Aunque no me creas, te aseguro que mi última intención es hacerte daño. Solo pretendo ser tu aliado y ayudarte a encarrilar tu vida.

—Mi vida ya está encarrilada, gracias —espetó irónico—. Solo necesito que desaparezcas de ella.

—Mal encarrilada, diría yo, mas eres libre de hacer lo que te plazca; libre albedrío lo llaman. Pero si en algún momento te apeteciera, o necesitaras, hablar sobre lo que te ocurre con alguien que te entiende mejor de lo que crees, llámame —dijo entregándole una tarjeta en la que solo había escrito un número de teléfono.

—Ni lo sueñes —musitó Eberhard dejándola caer al suelo del taxi.

—No te apresures a deshacerte de ella, no sabes si algún día podrás necesitar que te escuchen. Y solo yo puedo hacerlo sin juzgarte —le indicó Karol antes de bajarse del vehículo.

Habló un instante con el taxista antes de pagarle y, sin mirar atrás, entró en el hotel.

Eberhard no esperó a verle desaparecer tras las puertas cristaleras. Le indicó la dirección de su hostal al conductor y rezó por llegar lo antes posible. Necesitaba soledad para meditar sobre lo que le había pasado. Sobre lo que había hecho. El trayecto fue muy corto y, cuando fue a pagar la carrera, descubrió que ya estaba pagada. Se encogió de hombros y salió del taxi. Un segundo después, el taxista le llamó a gritos a través de la ventanilla abierta mientras le señalaba el asiento trasero. Eberhard se acercó extrañado al entender, por los gestos y las pocas palabras que pronunciaba en español, que le estaba diciendo que se había dejado algo. Abrió la puerta y se asomó al interior. Y allí, junto al asiento que había ocupado Karol, encontró el estuche de terciopelo rojo. Frunció el ceño, renuente, pero ante la insistencia del taxista decidió cogerlo; ya pensaría qué hacer con él cuando estuviera solo. Estaba a punto de cerrar la puerta del coche cuando, con una imprecación, se agachó y recogió también la tarjeta. Miró el número escrito en ella y, antes de pararse a pensar lo que hacía, lo grabó en la memoria de la tarjeta SIM del móvil.

Una vez estuvo en su habitación tiró el estuche al fondo de la maleta y comenzó a recorrer nervioso el diminuto espacio mientras se esforzaba por llevar hasta sus pulmones el aire que necesitaba para respirar. Acababa de serle infiel a su esposa, no solo en su imaginación como le ocurría siempre que se excitaba, sino también físicamente... y no podía soportarlo. No se lo diría nunca, eso acabaría con su matrimonio, pero necesitaba verla, decirle cuánto la quería, sentir sus caricias, su calor, su sonrisa mientras le susurraba que ella también le quería. Solo Sofía podía calmar la angustia que le corroía y devolverle la serenidad y la cordura. Sacó su ropa del armario y la metió sin ningún cuidado en la maleta. Iría al aeropuerto en ese mismo instante, y rezaría para que hubiera algún vuelo que le llevara a España sin más demora.

Abrió la puerta del ático con cuidado; lo último que necesitaba era asustar a Sofía despertándola a esas horas de la madrugada, más aún cuando no lo esperaba hasta el mediodía. Entró en el comedor, se descalzó y dejó los zapatos junto a la maleta con la intención de recoger ambas cosas más tarde. En ese momento ya no podía esperar más para estar junto a ella. Tampoco pensaba perder el tiempo en ducharse; lo haría después de verla, cuando se hubiera empapado de su presencia y su corazón volviera a estar de nuevo en paz.

El viaje desde Roma a Barajas y de allí a Alicante se le había hecho eterno. Había pasado todo el trayecto rememorando el instante en que había perdido la razón y se había dejado llevar por la locura. Había recordado avergonzado cada caricia que había prodigado a la escultura y el momento en que el orgasmo le había alcanzado. Había repasado una y otra vez las agoreras palabras de Karol y los desafíos que este le había lanzado. El polaco era el culpable de que hubiera acabado cayendo en la tentación. Si no le hubiera encerrado junto a Plutón y Proserpina, nunca hubiera llevado tan lejos sus deplorables actos. Aunque debía reconocer que le había hecho un favor. Solo ahora, tras enfrentarse cara a cara con su obsesión y salir derrotado, se había dado cuenta de cómo podía escapar de la espiral de desenfreno en la que había caído. Sabía cuál había sido su error y cómo solucionarlo. Sus visitas a Roma habían sido su gran equivocación, no debería haber seguido viajando cada año allí, eso solo servía para perpetuar y dar fuerza a su perversión. Si quería mantenerse cuerdo, debía alejarse de toda tentación. Y eso haría. No era necesario confesarle nada a Sofía, porque no volvería a repetirse. Y no, dijera lo que dijera Karol, no cometería ningún error que pudiera descubrirle.

Entró sigiloso en la habitación, y se detuvo nada más traspasar el umbral. Sofía estaba dormida, desnuda. La luz de la luna entraba a través de las ventanas abiertas y se derramaba sobre sus perfectas formas. Estaba tumbada de espaldas sobre la cama, con las piernas entreabiertas. Una de sus manos reposaba sobre la almohada mientras que la otra yacía lánguida sobre su pubis, como si se hubiera estado masturbando antes de quedarse dormida. Su rostro perfecto estaba enmarcado por la alborotada melena que se derramaba sobre sus hombros y acariciaba sus pechos cuando estos se alzaban con cada respiración. Era tan hermosa que dolía mirarla.

Eberhard se obligó a caminar despacio hasta la cama, ignorando el poderoso impulso que le instaba a apresurarse y follarla como un salvaje. No iba a hacerlo. Lo último que necesitaba era tirarse sobre Sofía como un animal en celo. De hecho, no pensaba hacer absolutamente nada con ella mientras estuviera dormida y, desde luego, no la despertaría solo para satisfacer su necesidad de echar un polvo. No era una bestia incapaz de controlarse, sino un hombre razonable. Por tanto se tumbaría a su lado y se conformaría con abrazarla. Sí. Eso sería lo apropiado. No podía volver a perder el control; dos veces en un solo día era demasiado, incluso para él.

Se desabrochó con dedos trémulos los botones de la camisa, o al menos lo intentó, porque los malditos parecían ser mucho más grandes que el ojal que los contenía. Frustrado, inspiró profundamente para mantener a raya sus nervios. Y en ese momento, lo olió. Era el olor de Sofía, pero más intenso, más embriagador, más... excitante.

Intrigado, apoyó una rodilla a los pies de la cama, e inhaló lentamente. Y el deseo lo golpeó con tal violencia que estuvo a punto de caer al suelo. Jadeó asombrado. ¿Era eso a lo que se refería Karol cuando decía que podía oler la excitación de los demás? Se arrodilló sobre el colchón, entre los delicados pies de su esposa, e inclinándose sobre ella, volvió a inhalar con fuerza. El deseo cayó sobre él y arrasó toda razón a su paso. Imparable. Insensato. Arrebatador.

Aferró con las manos los tobillos de su mujer, le separó las piernas sin pararse a pensar en lo que estaba haciendo y hundió la cara en su sexo. Necesitaba saborearla. Ya. Acarició con la nariz el clítoris dormido mientras sus labios recorrían curiosos los pliegues de la vulva y su lengua penetraba exigente en el interior de la vagina.

Sofía abrió los ojos, estremecida, presa de un fuego insoslayable que nacía en su sexo y amenazaba con desbordarse por todo su cuerpo. Intentó cerrar las piernas para aliviarse de algún modo, pero unos fuertes dedos se hincaron en sus muslos, obligándola a separarlos más todavía. ¡Eso no podía ser un sueño! Se incorporó sobre los codos, solo para volver a caer sobre el colchón, jadeante, cuando vio la rubia cabeza de su marido entre sus piernas, devorándola sin piedad. Sacudió la cabeza aturdida. ¿Qué le había pasado en Italia para que se comportara así? Era la primera vez que la despertaba en mitad de la noche para... darse un festín con su coño. ¡Ojalá lo hiciera más a menudo!, pensó al sentir su lengua penetrándola con fuerza.

—¿Eber? —gimió casi sin aliento.

Eberhard alzó la cabeza al instante, y sus ojos se anclaron en los de ella, pero no respondió.

—Eber, ¿qué te pasa? —le preguntó asustada al ver su mirada frenética y percatarse de su errática respiración.

—Cierra los ojos y déjame hacer —le exigió él antes de volver a enterrar la cara entre sus muslos.

—¡Qué cierre... ahhh!

La protesta murió en sus labios cuando un dedo se hundió con fuerza en el interior de su vagina y comenzó a frotar ese punto que le hacía ver fuegos artificiales. No tenía ni idea de qué le pasaba a su marido, pero... fuera lo que fuera, ¡era bienvenido!

Eberhard se concentró en el clítoris de su mujer, lo lamió hasta que se irguió impaciente, y luego lo mordisqueó con ternura no exenta de pasión. Y mientras lo hacía, sus dedos se abrían camino en su interior, primero uno, y, cuando la vagina se tornó dúctil y resbaladiza, añadió un segundo. La penetró despacio, con cuidado, hasta que la palma de su mano quedó bañada por los fluidos de la pasión femenina. Entonces, alzó la cabeza y, mirando a su mujer, se llevó los dedos a la boca, los chupó con fruición y, tras inhalar extasiado, volvió a penetrarla, añadiendo un tercero. Embistió con ellos, enterrándolos en su vagina una y otra vez. Y cada vez más rápido que la anterior. Más violento. Más frenético.

Sofía cerró los ojos, incapaz de mantenerlos abiertos. Incapaz incluso de respirar. Dobló las rodillas, separando más todavía las piernas, y llevó las manos a la cabeza de su marido para aferrarse a su pelo y obligarle a que mantuviera la cara sobre su sexo. No sabía qué era lo que le pasaba, pero no era normal... y no pensaba permitir que reculara en el último momento como solía ser su costumbre cada vez que hacían el amor.

Eberhard gruñó al sentir las manos de su mujer en la cabeza, instándole a continuar. Cerró los ojos, embriagado por el olor que se colaba en sus fosas nasales, y apretó los labios sobre el clítoris, mordisqueándolo con cuidado antes de succionarlo con fuerza. Y cuando Sofía alzó las caderas y comenzó a temblar debido al inminente orgasmo, Eberhard presionó el vientre femenino con la mano que tenía libre, inmovilizándola, y siguió invadiendo con los dedos su vagina mientras chupaba el clítoris usando lengua, labios y dientes. Ni siquiera fue capaz de detenerse cuando la pétrea Proserpina se materializó etérea en el interior de sus párpados. Se rindió a su presencia, consciente de que no lograría librarse de ella, y continuó libando con avidez el néctar que manaba de Sofía.

Sofía clavó los talones en el colchón y arqueó la espalda mientras todo su cuerpo temblaba presa de un orgasmo tan poderoso como jamás había sentido en su vida. Y ni aun así Eberhard paró. Continuó lamiéndola, perpetuando su éxtasis hasta que quedó desmadejada sobre la cama.

—Abre los ojos, Sofi...

Se removió somnolienta al oír la voz de su marido, abrió los ojos perezosa y jadeó asombrada al descubrir que él continuaba completamente vestido. Solo su pecho estaba desnudo, ni siquiera su vientre, ya que no se había desabrochado todos los botones de la camisa.

—¿Por qué no te has desnudado?

Eso era lo primero que Eberhard hacía cuando regresaba de Italia, desnudarse y meterse en la ducha para librarse del cansancio del viaje.

—Mírame... —dijo él ignorando su pregunta. Sofía asintió con la cabeza, preocupada, ¿Por qué se comportaba de ese modo tan extraño?—. Te quiero —declaró solemne—. Dime que me quieres —le exigió.

—Te quiero.

—Dilo otra vez —demandó a la vez que se desabrochaba los pantalones y liberaba su erección de la restricción de los calzoncillos.

—Te quiero...

—Te quiero —musitó Eberhard sujetando los pies de Sofía para colocárselos sobre sus propios hombros—. Lo sabes, ¿verdad? —Sofía asintió con la cabeza—. ¡Dilo! Di que sabes que te quiero —ordenó a la vez que enterraba su polla en ella de una sola acometida.

—Lo sé... sé que me quieres. Yo también te quiero.

—No dejes de decirlo —jadeó separándose apenas para a continuación embestir con fuerza.

Y Sofía no cesó de repetirle que le amaba.

Él tampoco guardó silencio.

Declaró su amor mientras se mecía contra ella impetuoso, lo musitó jadeante en cada embestida, lo gritó cuando el orgasmo arrasó sus terminaciones nerviosas, doblegándole. Y aún cuando sus ojos se cerraron presas del sueño, volvió a repetirlo susurrante.

Sofía esperó hasta que escuchó la cadenciosa respiración propia del que está dormido y, entonces, se giró sobre sí misma y alargó el brazo para encender la lamparita de noche. La tenue luz iluminó parcialmente la habitación, permitiéndole contemplar al hombre que le había proporcionado los dos orgasmos más impresionantes de toda su vida... ambos en el plazo de una hora. Le había pasado algo durante el viaje, estaba segura. Algo que le había hecho cambiar, y ella quería saber por qué.

—¿Qué te ha ocurrido en Italia? —musitó besándole suavemente en los labios.

No pretendía despertarle, sino aprovechar el duermevela en el que estaba sumido para sonsacarle alguna respuesta que de otra manera le sería muy difícil de conseguir. Eberhard siempre se había mostrado poco comunicativo al hablar sobre su viaje, no creía que esta vez fuera a ser distinto... a no ser que le pillara desprevenido.

—No tendría que haber ido nunca... ha sido un error —gruñó somnoliento rascándose la tripa.

—¿Por qué has regresado antes? —preguntó en voz baja a la vez que deslizaba los dedos por el torso de su marido para jugar con el suave vello rubio que lo cubría. Eberhard se limitó a carraspear sin fuerza y taparse la cara con el antebrazo, molesto por la luz. Vamos, dormilón, contéstame. ¿Qué es lo que te ha disgustado tanto? —murmuró besándole las oscuras ojeras que asomaban bajo sus ojos.

Eberhard arrugó la nariz, frunció el ceño y masculló algo ininteligible entre dientes, pero no se despertó. O al menos eso esperaba que pensara Sofía. Su primera pregunta le había pillado medio dormido y no había sido consciente de que estaba respondiendo en voz alta. Menos mal que en la segunda su cabeza ya estaba funcionando al cien por cien...

Sofía negó con la cabeza, ya lo averiguaría más tarde. Cuando él hubiera descansado un poco. Entornó los ojos, pensativa; se había quedado dormido con la ropa puesta, solo sus pies estaban desnudos. Suspiró asombrada, y también embelesada, por la impaciencia que había mostrado al hacerle el amor. Depositó un casto beso sobre sus labios entreabiertos y comenzó a desnudarle con cuidado de no despertarle. El pobre tenía que estar agotado. Acabó de desabrocharle la camisa y, en vista de que sería complicado quitársela, se decidió por continuar con algo más sencillo.

—¿Qué haces? —murmuró adormilado, o al menos fingiéndolo, al sentir las manos de ella sobre las piernas.

—Te quito la ropa para que estés más cómodo. Sigue durmiendo.

—Mmm… está bien —murmuró levantando el trasero para ayudarla a deshacerse de los pantalones.

—Aguanta un poco —susurró ella besándole juguetona el vientre mientras le liberaba de los vaqueros—, ya está, puedes seguir durmiendo.

—Ya no tengo sueño… —comentó Eberhard asiéndola de la muñeca y tirando de ella hasta que cayó sobre él.

—¡Pero bueno! —exclamó Sofía al notar como el flácido pene se engrosaba y endurecía al frotarse contra su estómago—. ¿Quién eres tú y qué has hecho con mi marido? —le preguntó divertida.

—Lo he mandado a la mierda. Es un idiota que no sabe disfrutar de lo que tiene —afirmó Eberhard antes de besarla con salvaje deleite.

Y antes de que pudiera darse cuenta, estaba tumbada de espaldas sobre el colchón mientras él la penetraba con inusitada furia.

—Sí… —gimió arqueando la espalda para frotar sus pechos contra el torso masculino—, mi marido es un imbécil que no sabe lo que se pierde. Me alegro de que te hayas librado de él.

—Un memo asustado que no se atreve a tomar lo que es suyo —jadeó Eberhard follándola con fuerza. Ignorando tenaz la silueta de Proserpina que comenzaba a esbozarse sobre el cuerpo de su mujer—. Tienes que enseñarle cómo se hacen las cosas…

—Quizá ya se ha dado cuenta… —musitó Sofía deslizando los dedos sobre su clítoris y comenzando a masturbarse mientras él continuaba embistiéndola.

—No. Aún le queda mucho por aprender… y está impaciente por instruirse… —dijo Eberhard bajando la cabeza y devorando la boca de ambas mujeres, la onírica y la real.

—Creo que… será un buen… estudiante…

—Al menos lo intentará —comentó hundiéndose imperioso en ella mientras la contemplaba extasiado bajo la tenue luz de la lámpara. ¿Luz? ¿Lámpara? Giró la cabeza para comprobar si, como era su costumbre, Sofía había vuelto a dejar las cortinas descorridas y las persianas levantadas. Así era—. Deberíamos apagar la luz, Sofi —comentó estirando la mano hacia la mesilla de noche.

—No. No la apagues quiero verte… Estás muy sensual vestido solamente con la camisa —argumentó asiendo el cuello de la prenda con ambas manos y obligándole a descender para besarle.

—Las cortinas… alguien puede vernos —le explicó él divertido cuando consiguió separarse de su sensual abrazo. Ella estaba tan excitada que ni siquiera era consciente del espectáculo que estaban dando.

—¿Y qué? —replicó Sofía con ferocidad a la vez que le envolvía las caderas con las piernas para impedir que se alejara—. ¡Quien no quiera vernos que no mire!

—El problema es que a lo mejor alguien quiere vernos…

—Que mire… —gimió ella cerrando los ojos e imaginándose que, efectivamente, alguien estaba observándoles. Eberhard sonrió al escuchar su respuesta, y estiró el brazo para apagar la lamparita de noche. Sofía no se lo permitió.

—Sofi… —la reprendió divertido.

—¿Acaso te molesta tanto que alguien pueda vernos?

Déjalo que disfrute —exclamó frotándose impaciente contra él—. No pierdas más el tiempo en tonterías y sigue moviéndote —le exigió al borde del orgasmo.

Eberhard la miró perplejo. ¡Sofía no sabía lo que decía! ¿¡Cómo que si le molestaba!? Pues claro que... no. No le molestaba.

Parpadeó atónito al comprender que, en realidad, mientras quien quisiera mirarlos se mantuviera a distancia, a él no le importaba en absoluto. Sofía era suya, y era la mujer más bella del mundo. De la misma manera que se sentía orgulloso al ver como todos reverenciaban a Proserpina, también se sentía orgulloso, y muy afortunado, de tener una mujer como Sofía a su lado, y poder mostrar al mundo entero lo hermosa que era, lo pasional que podía llegar a ser... y lo mucho que le quería. Sacudió la cabeza enfadado consigo mismo. ¿Hasta qué extremo llegaba su obsesión por las estatuas que no le importaría exponer a su propia esposa ante la vista de cualquiera?

—Eber, ¿qué pasa? —le preguntó Sofía al verle palidecer, y, acto seguido, abrió los ojos como platos y se tapó la boca con el dorso de la mano al darse cuenta, por fin, de lo que le había dicho.

—Sofi... yo... —musitó sin saber bien qué decir.

Negó con la cabeza e intentó separarse de ella para alcanzar el interruptor de la luz, en ese momento no quería que su esposa le mirara a los ojos, no se fiaba de lo que podía ver en ellos.

Sofía interpretó su ademán erróneamente, creyó que se apartaba para hablar sobre lo que le había dicho. Y no estaba dispuesta a tener ese tipo de conversación en ese preciso instante... quizá nunca lo estuviera. Por tanto, hizo lo único que podía hacer: impedir que se alejara. Le agarró con fuerza el trasero y le obligó a descender sobre ella de nuevo y, cuando él fue a protestar, deslizó un lascivo dedo por la grieta entre sus nalgas y le acarició el ano. Eberhard abrió la boca, emitiendo un mudo rugido e, incapaz de vencer la lujuria que le dominaba al sentir el dedo de Sofía penetrando su recto, se hundió con fuerza en ella y comenzó a moverse con frenesí, olvidándose de las cortinas descorridas, de la luz de la lámpara, de quién pudiera o no verles, de la marmórea diosa que habitaba en su mente y hasta de su propio nombre. Solo hubo una cosa que no olvidó... la mirada de su mujer amándole.

Sofía se removió inquieta al sentir una fuerte luz sobre los párpados. Abrió los ojos lentamente y volvió a cerrarlos con rapidez. Un maldito rayo de sol se colaba por la ventana, cayendo justo sobre su cabeza. Abandonó la cama perezosa, se dirigió a la ventana y, tras dejar durante un instante que el sol bañara su cuerpo desnudo, corrió las cortinas.

—Mucho mejor —murmuró.

Apagó la lamparita de noche que al final se había quedado encendida y se sentó en el borde de la cama para contemplar embelesada a su marido. Estaba dormido de espaldas sobre el colchón, con un brazo tapándose la cara para escapar del sol de la mañana, y todavía llevaba la camisa desabrochada. De hecho era lo único que cubría su cuerpo. Estiró la mano para acariciar con ternura su liso estómago. Puede que no tuviera los abdominales marcados, pero no le sobraba ni una pizca de grasa. Recorrió con los dedos la estrecha línea de vello rubio que atravesaba su vientre mientras evocaba lo que habían hecho durante la noche. Jamás habría imaginado que Eberhard fuera capaz de follarla como lo había hecho. No era un hombre fogoso, o, al menos, no lo había sido hasta que regresó de Italia y la poseyó como ella llevaba años deseando que lo hiciera. Acunó con la palma de la mano el pene dormido y se inclinó para soplar con suavidad sobre sus labios entreabiertos. Estaba deseando que se despertara para seguir jugando…

Eberhard arrugó la nariz y masculló algo entre dientes.

—Vamos, dormilón, despierta —susurró ella soplando de nuevo, esta vez sobre el mechón de pelo que caía sobre su frente.

Eberhard se removió sobre las sábanas hasta quedar tendido bocabajo, con la cabeza escondida bajo la almohada, y murmuró algo ininteligible que sonó parecido a «es muy pronto».

—Está bien. Te dejaré dormir un rato más, pero cuando te despiertes pienso agotarte a conciencia —susurró ella con cariño dándole una palmadita en el trasero.

Abandonó la habitación y se duchó con rapidez y, una vez se hubo secado, se ungió los pechos, el vientre y los muslos con una muestra de crema hidratante de Carolina Herrera que le habían regalado. Era una verdadera lástima que el botecito no diera para más, porque olía de maravilla. Se moldeó el pelo húmedo con los dedos hasta marcar más todavía sus tirabuzones naturales y se puso el diminuto picardías que había usado en su noche de bodas.

—Te voy a dejar seco —musitó mirándose complacida en el espejo.

La libido de su marido se había despertado y ella no pensaba permitir que se volviera a adormecer. Pensaba ponerlo tan cachondo, y tan duro, que le iba a resultar imposible caminar. O al menos eso esperaba.

Regresó eufórica a la habitación solo para comprobar decepcionada que él seguía durmiendo. Sus labios dibujaron un mohín enfurruñado, pero al cabo de un instante se encogió de hombros y abandonó la estancia, decidida a esperar. ¡Pero no eternamente! Fue a la cocina con la intención de prepararse un café bien cargado y, si de paso el olor despertaba al bello durmiente, mejor que mejor. Pero al pasar por el salón se dio de bruces con la maleta y los zapatos que Eberhard había dejado allí la noche anterior y decidió que era más necesario sacar la ropa y meterla en la lavadora. Conocía de sobra a su marido y estaba segura de que se encontraría la ropa doblada de cualquier manera. Abrió la maleta.

Y jadeó asombrada al ver su interior.

Era peor, mucho peor, de lo que esperaba.

No había nada doblado o mínimamente colocado; al contrario, por el estado en que se encontraban las prendas daba la impresión de que las había metido de cualquier manera.

—¿Qué narices te ha pasado en Italia, Eber? —musitó mirando a través del pasillo la puerta cerrada de su habitación.

Sacó la chaqueta, que, en vez de estar colocada encima del resto de la ropa, estaba arrugada contra un lateral de la maleta. Había sido ella la que se había empeñado en que la llevara por si refrescaba por las noches, aunque él le había dicho una y otra vez que no la iba a necesitar porque en cuanto cerraran las galerías pensaba regresar al hotel, para no moverse de su habitación. Sofía negó con la cabeza al recordar la callada ilusión y los nervios con los que Eberhard había planeado el viaje. Había pedido el día libre en la fábrica en la que trabajaba y buscado a alguien que le sustituyera como guitarrista de los Spirits durante todo el fin de semana. No le había molestado perder el dinero que le correspondía por esas tres actuaciones, ni tampoco que le descontaran del sueldo el día que había faltado al trabajo. Solo le había importado ir a Italia justo en el solsticio de verano. Había sido su única obsesión. Y en vez de quedarse y aprovechar todo el tiempo posible en

Roma, había regresado antes de tiempo... para follarla con un ímpetu que jamás había mostrado en el año y medio que llevaban juntos.

—Vamos a tener que hablar muy seriamente cuando despierte —musitó para sí. Era mucho más importante saber qué le había pasado a su marido que echar un polvo.

Sacó de la maleta un par de camisas totalmente arrugadas, unos pantalones vaqueros con unas extrañas manchas a la altura de la entrepierna y la ropa interior, que, cosa rara en Eberhard, no estaba guardada en una bolsa de plástico para separarla del resto de prendas. Y, justo debajo de todo, en el fondo de la maleta, lo vio. Un estuche estrecho y alargado forrado de terciopelo rojo. Lo tomó cautelosa y le dio vueltas entre las manos mientras lo miraba con cautela. No había nada escrito en él, ni siquiera el logotipo de alguna marca que le pudiera dar una pista sobre lo que contenía. Quizá fuera un regalo. ¿Una joya? No. Eber sabía de sobra que a ella no le gustaban las joyas, prefería la bisutería. ¿Tal vez un reloj? Pero el estuche parecía demasiado largo para esconder un reloj... a no ser que este fuera enorme, y entonces no sería para ella. No le gustaban las cosas grandes. Lo agitó con suavidad. Ningún ruido escapó de su interior. ¿Qué narices sería? Se mordió los labios, dudosa entre abrirlo o esperar paciente a que su marido despertara y le dijera qué había dentro.

—La paciencia nunca ha sido mi fuerte, y no hay nada que le pueda indicar que lo he abierto —dijo deslizando las manos por el estuche—. Y, además, sabe que siempre le deshago la maleta; seguro que lo ha dejado ahí para tentarme —se dijo para convencerse antes de levantar lentamente la tapa—. ¿Qué es esto? —murmuró con los ojos abiertos como platos.

Fue a sacarlo del estuche, pero se detuvo de golpe, pensativa. «Eso» no se vendía así, al menos no en las tiendas que ella conocía. Ni en ninguna. Estaba segura. Siempre se vendía en el interior de un paquete de plástico transparente, sellado, para garantizar que nadie lo había usado antes, y no en un estuche forrado de terciopelo rojo, sobre un fondo acolchado de seda del mismo color. Una seda que además apestaba a Chanel N.º 5.

El estuche cayó de sus manos, cerrándose con un sordo golpe.

Tragó saliva y volvió a abrirlo. Lo observó con los párpados entornados. Quizá se hubiera equivocado y fuera otra cosa. Lo sacó tocándolo solo con las yemas del índice y el pulgar, asqueada al pensar que seguramente «eso» ya había sido usado, y lo giró lentamente ante sus ojos. No. No había ninguna duda, era lo que parecía.

Se levantó del suelo con la respiración agitada y se dirigió, casi corriendo, a su habitación.

—¡Cabrón!

Eberhard despertó de golpe al escuchar los alaridos de su mujer y se levantó de un salto de la cama, dispuesto a matar a quien estuviera atacándola. Un enorme proyectil blanco pasó rozándole la oreja.

—¡Hijo de puta!

Se agachó justo a tiempo de que otro proyectil, rojo, y aún más grande, impactara contra su nariz.

—¡Cerdo malnacido! —continuó gritando Sofía a la vez que se abalanzaba sobre él y le daba un fuerte empujón que le hizo trastabillar hasta quedar tumbado de nuevo en la cama.

—Sofi, ¿qué te pasa? —preguntó aturdido al ver las lágrimas brillando en sus mejillas.

—¿Qué me pasa? ¡Falso! ¡Traidor! —aulló señalándole con un dedo acusador.

—Sofía, tranquilízate —exigió poniéndose en pie de nuevo.

—¿Que me tranquilice? Eres un... —se calló de golpe al darse cuenta de que se había quedado, además de sin objetos, sin insultos que lanzarle. Eso era lo malo de no tener costumbre de usar tacos, enseguida se le agotaba el repertorio—. ¡Grandísimo hijo de puta! ¡Cabronazo! —A falta de nuevos insultos, bien podía usar aumentativos.

—¡Sofía, para y dime qué coño te pasa! —rugió él harto de ser el blanco de su ira.

—¡Explícame qué hace «eso» en tu maleta! —le reclamó señalando la cama.

—¿Eso? ¿El qué? —Eberhard se giró para ver de qué narices estaba hablando... y entonces lo vio. El proyectil blanco que había pasado rozando su oreja no era otra cosa que el maldito consolador de mármol que Karol le había regalado—. ¡Joder!

—¿¡Joder!? ¡Por supuesto!, para eso es para lo que lo has usado. ¡Con otra! ¡Cabrón malnacido! —En cuanto saliera de casa iba a ir a ver a su hermana para que le diera una lección de tacos. ¡Era frustrante querer insultarlo y no encontrar las palabras!

—¡No lo he usado!

—¿Ah, no? Y entonces, ¿¡por qué no está en su paquete de plástico!? —inquirió ella empujándolo de nuevo.

—¡Yo qué sé! ¡Me lo regalaron así! —gritó mientras se devanaba los sesos buscando una explicación lógica. Pero por mucho que pensaba, ¡no la encontraba!

—¿Te lo regalaron? —jadeó atónita—. ¡Pero tú te crees que soy idiota!

—¡No! Es la verdad. ¡Me lo regaló Karol! ¡Ni siquiera lo he sacado del estuche! —exclamó intentando explicarse.

—¿¡Carol!? ¿¡Te lo ha regalado una mujer, y pretendes hacerme creer que no lo has usado con ella?! Serás cerdo.

—¡No! No es lo que piensas, lo juro. Karol no es una mujer… es un hombre.

—Ah, es un hombre… ¡Y yo me chupo el dedo! —chilló. Desde luego no iba a tragarse esa mentira tan… ¡estúpida!

—¡Joder, Sofi! Quieres, por favor, dejar de gritar y escucharme —suplicó él alzando las manos en son de paz. Sofía abrió la boca para seguir insultándole, pero se lo pensó mejor y, tras cruzarse de brazos, arqueó una ceja instándole a hablar.

—No es lo que parece…

—Y, entonces, ¿qué es? Porque yo juraría que «eso» es un puñetero consolador de piedra —replicó señalando con la mirada el fatídico objeto que había sobre la cama.

—Sí, lo es… pero no es lo que piensas… No es mío —afirmó Eberhard con rotundidad, asintiendo con la cabeza—. Es de Karol.

—Acabas de decirme que te lo había regalado, no que fuera suyo.

—Sí —musitó Eberhard acorralado—, me lo regaló pero no para lo que tú crees.

—¿Ah, no? ¿Para qué entonces? —inquirió con ironía.

—Eh… La verdad es que no lo sé. Me lo regaló y punto —sentenció enfadado porque, cuanto más hablaba, más lo embrollaba todo—. ¡No es culpa mía que me lo haya regalado!

—Me estás diciendo que una tal Carol te ha regalado un jodido y enorme consolador blanco, metido en un estuche de terciopelo y seda roja, y tú no sabes para qué te lo ha regalado, ni por qué. Una de dos, o eres gilipollas o piensas que lo soy yo. ¡Cabrón!

—¡No es Carol, es Karol, con «K», de Carlos!

—¿Con «K» de Carlos?

—¡Sí! ¡Es un hombre, y se llama Karol, con «K», que significa Carlos en polaco!

—¿Y por qué ese tal Karol te ha regalado un consolador? —le preguntó suspicaz.

—¡No tengo ni idea! —mintió él—. Es un tipo raro. Lo conocí el año pasado en Florencia, y este año he vuelto a verle en Roma… ¡y me ha regalado «eso» Dios sabrá por qué!

—Me estás diciendo que conociste a un tío el año pasado, que os hicisteis íntimos amigos en… ¿cuánto tiempo?, ¿dos días?, y que, un año después, habéis vuelto a veros en Roma, por casualidad —chasqueó los dedos irónica—, y te ha regalado un consolador.

—Eh… sí. Más o menos ha sido así. Pero no somos íntimos amigos. Solo conocidos.

—Claro, es totalmente lógico. Yo también les regalo a mis conocidos consoladores. Es el regalo de moda —afirmó Sofía gesticulando nerviosa con las manos—. ¿De verdad piensas que soy tan ingenua como para tragarme esa… patraña? —Se dio la vuelta, sacó unos vaqueros y una camiseta del armario y comenzó a vestirse.

—¡Es la verdad! —exclamó Eberhard exasperado.

Sofía negó con la cabeza y, dándole la espalda, se limpió con el dorso de la mano las lágrimas que volvían a correr por sus mejillas; luego tomó una mochila del maletero y, sin molestarse en tener cuidado, metió en ella unos vaqueros y dos camisas de Eberhard.

—Vete —dijo tendiéndosela.

—Sofi, tienes que creerme —musitó abrazándola.

—¡No me toques! ¡Cabrón! —sollozó empujándolo con odio.

—Puedo demostrarte que digo la verdad —gimió él desesperado. No podía perderla.

—¿Qué?

—Llama a Karol. Él te dirá que todo es un malentendido —afirmó angustiado mientras caía de rodillas al suelo y buscaba frenético el móvil en los bolsillos de los vaqueros que ella le había quitado la noche anterior. ¡Gracias a Dios que había grabado el número!—. Toma, llámale…

Sofía le arrebató el teléfono de las manos antes siquiera de que él pudiera encenderlo, abrió la agenda y buscó en ella a un tal Karol con «K».

—Sapkowski.

—Quiero hablar con Karol —exigió entre sollozos una mujer al otro lado de la línea.

—Al habla. ¿Se encuentra usted bien, señorita? —preguntó preocupado al escuchar la angustia de la desconocida.

—¿Tú eres Karol?

—Sí, Karol Sapkowski. ¿En qué puedo ayudarla?

—¿Por qué coño le has regalado un puto consolador de piedra a mi marido? —le espetó con rabia.

Karol parpadeó aturdido sin saber a qué se estaba refiriendo.

—¿De piedra? ¿A su marido? —repitió estupefacto.

—¿No has sido tú quien se lo ha regalado? —inquirió ella con voz suave, demasiado suave—. No tienes ni idea de lo que te estoy hablando… —musitó con la voz entrecortada por el llanto—. Siento haberte molestado.

—¿Se refiere quizá al dildo de mármol blanco de Carrara que le regalé a Eberhard? —se atrevió a preguntar intuyendo por dónde iban los tiros.

—Sí —murmuró ella haciendo un molesto ruido, que Karol imaginó que era debido a la acción conjunta de un pañuelo de papel y un fuerte soplido de su nariz—. ¿Por qué se lo regalaste? —preguntó en voz baja, que fue alzando hasta convertirse en un aullido—. ¿Qué cojones tienes tú que ver con mi marido?

—Conozco a su esposo de haber coincidido en un par de ocasiones en Italia —explicó Karol sin faltar a la verdad—. Y el motivo del regalo… es solo una simple broma entre conocidos, no debe preocuparse por ello.

—¿No debo preocuparme porque mi marido regrese de un viaje que ha hecho solo, sin mí, con un… puñetero consolador de piedra que le ha regalado otro hombre? —jadeó irónica.

—De mármol, el consolador es de mármol de Carrara, el más puro que hay.

—¡Por mí como si es de alambre de espino, gilipollas! —le espetó furiosa—. Lo único que me importa es saber por qué se lo has regalado y qué coño tienes con él.

—Tranquilícese, señorita.

—¡No soy señorita! ¡Soy señora! Lo entiendes, hijo de puta. ¡Estoy casada! Y tú le has regalado una jodida polla de mármol a «mi» marido y quiero saber por qué.

—Escuche, señorit… señora, está muy alterada. Le aconsejo que se tranquilice e intente hablar con su marido, él se lo explicará todo —murmuró Karol lentamente para ganar tiempo mientras pensaba qué narices decirle a la dama sin mentirle, y sin poner en un aprieto a su cada vez menos probable aliado. Un aliado que, si hubiera sido un poco más valiente, un bastante más sincero con su mujer y, sobre todo, un mucho más listo ocultando obsequios, no se habría visto en ese embrollo.

—¿Que yo estoy alterada? ¿Yo? —Una pausa. Un suspiro. Una fuerte inspiración—. No tienes ni idea de cuánto, ¡cabrón!

Lo siguiente que escuchó Karol fue el ruido de algo estrellándose contra algo, y el inconfundible y monótono tono de fin de llamada. Observó el móvil de última generación que tenía en la mano y, sin pararse a pensarlo, hizo una rellamada. Una voz metálica le indicó que el teléfono al que estaba llamando estaba apagado o fuera de cobertura.

—Bonita manera de decir que una mujer furiosa ha lanzado el móvil de su aterrorizado marido contra la pared —musitó recostándose en el sillón.

Eberhard miró petrificado a Sofía. El móvil había pasado junto a su cabeza, rozándole la oreja, antes de estrellarse con fuerza contra la pared.

—¿Qué te ha dicho para que te pongas así? —se atrevió a preguntar.

—¡Que te metió el consolador por el culo hasta que gritaste de placer! —exclamó ella abandonando el dormitorio.

—¡¿Qué!? ¡Es mentira! —jadeó él siguiéndola—. No puedes haberte creído eso.

—¿Por qué no? Tú mismo me contaste que antes de conocerme te habías acostado con hombres y mujeres. ¿Por qué no habría de creerme que has viajado a Italia, solo, sin mí, para follar como un loco con otro tío? —gritó deteniéndose furiosa en mitad del pasillo.

—Sofía… —¿Por qué demonios le habría confesado esa faceta de su vida? Joder, si ni siquiera le había gustado demasiado follarse a todos esos hombres y mujeres. ¡Solo lo había hecho por intentar buscar soluciones a su puñetera obsesión!—. Tienes que creerme, no me he acostado con ningún hombre desde mucho antes de conocerte —dijo con rotunda serenidad.

—¿Y con otra mujer?

Eberhard dudó durante apenas un segundo antes de negar con la cabeza.

—Mentiroso. Sí que lo has hecho.

—No. No lo he hecho, te lo juro por lo más sagrado —aseguró desesperado.

—Entonces, ¿por qué has dudado antes de responder?

—Sofi... yo... —Cerró los ojos y negó con la cabeza a la vez que se frotaba el puente de la nariz con dos dedos—. No es lo que piensas.

—No tienes ni idea de lo que estoy pensando ahora mismo —siseó ella antes de encerrarse en el primer sitio que encontró.

—Abre la puerta —exigió Eberhard tirando sin éxito del picaporte del cuarto de baño.

—¡Lárgate, no quiero volver a verte! —le gritó ella a través de la puerta cerrada.

—No sé lo que te ha dicho Karol, pero es mentira. Es un tío muy raro y está medio loco. No debes creerle.

—No me ha dicho nada —sollozó ella.

—¿Qué?

—Solo me ha dado largas porque no sabía qué decirme para no meterte en un lío. No soy tan imbécil como piensas, Eber. Sé perfectamente que nunca me hubieras instado a llamarle si no estuviera confabulado contigo.

—Sofi...

—¡No quiero oír más mentiras! ¡Vete!

—Sofía, por favor, deja que te lo explique.

—Ya has dicho bastante con tu silencio. Lárgate a follar con tu puta y déjame en paz.

—¡Escúchame, maldita sea! —estalló él golpeando con fuerza la puerta—. No he follado con nadie desde que estoy contigo. ¡Lo único que hice en Italia fue masturbarme mientras tocaba una puñetera estatua! —confesó al fin.

Sofía abrió la puerta y lo miró con los ojos muy abiertos.

—¿Te masturbaste con una estatua? —le preguntó muy despacio—. ¿Eso es todo lo que hiciste?

—Sí. Eso fue todo —rugió Eberhard casi sin respiración.

—¿De verdad crees que soy tan imbécil como para tragarme esa gilipollez? —inquirió encarándose a él—. De verdad me crees tan tonta que ni siquiera te molestas en inventar algo un poco más... elaborado. Más... creíble. Menos... estúpido.

—Es la verdad —musitó él tendiéndole la mano.

—Sí, claro. Y yo soy Angelina Jolie —afirmó señalando su voluptuosa figura, tan distinta a la de la actriz—. Y sabes qué, ahora mismo voy a salir a la calle a ver si encuentro a Brad Pitt —dijo mientras esquivaba a su marido e iba al comedor.

—¡No digas tonterías y escúchame! —aulló Eberhard totalmente desbordado. Acababa de confesarle su secreto más terrible, ¡y ella se lo había tomado a guasa!

—No tengo tiempo de escucharte —gritó ella a su vez, tomando el bolso antes de asir el picaporte de la puerta de la calle.

—¿Adónde coño se supone que vas? —la increpó apoyando las manos sobre la puerta, impidiendo que la abriera.

—Ya te lo he dicho —contestó con pasmosa ironía—. Voy a buscar a un Brad Pitt cualquiera con el que echar, por fin, un polvo decente. A mí también me apetece disfrutar de buen sexo de vez en cuando —le informó con los ojos entornados antes de darle un fuerte bolsazo en la entrepierna—. ¡Oh! Lo siento, creo que se me olvidó sacar el libro del bolso —murmuró con fingida aflicción cuando él cayó de rodillas sujetándose los testículos con ambas manos—. Ahora, vete a follar a tu puta, a ver qué tal le sienta tener que trabajar duro para empalmártela, ¡cabrón!

Una vez recuperado del fortísimo dolor de testículos que le había tenido postrado, Eberhard encontró los ánimos para bajar a la calle. No tenía intención de buscar a su mujer, sabía perfectamente dónde encontrarla: en casa de alguna de sus amigas. Y también sabía que en esos momentos posteriores a la gran pelea era altamente peligroso intentar acercarse a ella, más aún si estaba acompañada de sus amigas, así que hizo lo único que podía hacer. Fue al centro comercial y buscó una tienda de telefonía móvil.

Horas después, tras dar un largo paseo en el que recapacitó sobre lo que había pasado, se sentó en un banco frente al puerto y sacó el móvil que acababa de comprarse. Lo miró fijamente durante unos segundos, dudoso, y, tras suspirar con fuerza, retiró el plástico protector que lo cubría, le puso la batería e instaló la tarjeta SIM de su fenecido teléfono. Cuando estuvo operativo comprobó el listado de números guardados en la tarjeta y allí, junto a todos los de sus amigos y familiares, a quienes de ninguna manera podía contarles lo que pasaba, estaba el de Karol. Lo marcó.

—Sapkowski —le respondió la conocida voz de su ¿amigo?

—Necesito… —cerró los ojos, angustiado— necesito hablar con alguien.

Alma

—Joder —siseó Eberhard deteniendo el coche frente a las puertas metálicas que interrumpían el trazado de los altos muros que rodeaban la finca—. ¿Qué narices hago aquí? —se preguntó por enésima vez desde que había hablado con Karol.

Este le había escuchado silente mientras le contaba todo lo que había sucedido, hasta que no le quedó nada por confesar. Y, entonces, tras unos instantes en silencio, el polaco por fin había hablado... solo para darle una dirección e insistirle en que fuera a verle ya que había cosas que no se podían hablar por teléfono.

Y él la había apuntado, había cogido el coche y había conducido hasta ese lugar situado en mitad de ninguna parte, sin dejar de preguntarse cómo era posible que Karol estuviera en Alicante.

Sacudió la cabeza y bajó la ventanilla para asomarse e intentar leer las extrañas palabras que estaban grabadas en mitad del enorme portón: «*Kościele na chęć*». Incapaz de entender lo que ponía, se encogió de hombros y pulsó el botón del videoportero que estaba situado en el corte del muro. La cámara de seguridad se movió hasta quedar enfocada en él y acto seguido las puertas comenzaron a abrirse con lentitud.

Y ante él apareció el mundo extravagante, alterado y luminoso de Karol.

Puso el coche en primera y se adentró en él casi remiso.

La alta muralla de cemento gris sitiaba por completo la inmensa finca, separando del monocromático mundo exterior el insólito lugar que parecía haber sido creado para dar cabida a las más disparatadas fantasías. Condujo despacio sobre un serpenteante camino de baldosas amarillas, que, al más puro estilo Mago de Oz, atravesaba un inmenso jardín de piedras que se extendía por toda la finca cual mantel gigante. Cientos de miles de pulidos guijarros de distintas formas y tamaños se agrupaban formando sinuosos dibujos de los más vivos colores, y, elevándose imponentes sobre estos, monolíticas y titánicas piedras, similares a menhires, se esparcían por el pétreo vergel sin orden alguno. En el mismísimo centro de aquella profusión de colores estaba la construcción más singular de todas las que había visto en su vida. Era... enorme. Y estaba dividida en dos estructuras muy diferenciadas. La planta baja era un imponente rectángulo de unos cuatro metros de altura con una superficie cercana a los ochocientos metros cuadrados. Las paredes de ladrillo visto, pintadas de un imposible rojo sangre, estaban seccionadas por ventanas de tamaño desigual ubicadas a distintas alturas. Las había estrechas y alargadas que comenzaban en el suelo y acababan en el techo; otras recorrían la pared en una línea zigzagueante; y algunas eran simples círculos, de mayor o menor tamaño, que se abrían sin orden ni concierto en los lugares más inesperados. Y, alzándose sobre el rectángulo rojo, había una torre cuadrada, de paredes de piedra y apariencia medieval, coronada por imponentes almenas.

—Joder... —volvió a sisear Eberhard, atónito ante lo que le rodeaba.

Aparcó a pocos metros de la casa y caminó hasta la enorme puerta de entrada y, antes de que pudiera pulsar el botón del videoportero, esta se abrió.

—Bienvenido al Templo —le saludó Karol haciendo una reverencia antes de hacerse a un lado para que entrara.

—¿El Templo?

Eberhard elevó la cabeza y observó de nuevo el extraño edificio. No podía existir nada más diferente a un templo, fuera cual fuera el dios contenido en él, que la casa ante la que se encontraba.

—*Kościele na chęć*. El Templo del Deseo, mi humilde morada.

—No sé lo que estoy haciendo aquí —musitó Eberhard, remiso a entrar ahora que tenía frente a sí al extraño hombre. Su supuesto amigo. Aún no tenía claro si Karol le tendía la mano para alejarlo del abismo… o para empujarlo. Y, tal y como iba vestido, solo con unos pantalones de raso rojo bajos de cadera, y su ígneo pelo naranja apuntando en todas las direcciones, se parecía más que nunca al ser diabólico que a veces parecía ser.

—¿No lo sabes? —Karol arqueó una de sus finas cejas—. Has venido a buscar consuelo, amistad, ayuda y todas esas paparruchas que se supone que comparten los amigos. ¿Me equivoco?

—Tú no eres mi amigo —replicó Eberhard al punto.

—¿No? Qué contratiempo más insospechado. Había supuesto que tu llamada implicaba cierta complicidad amistosa. Pero si no es así… no perdamos más el tiempo. Ya sabes dónde está la salida —dijo encogiéndose de hombros antes de darse la vuelta y cerrar la puerta.

Eberhard jadeó asombrado por la inesperada respuesta del polaco y se giró para volver a tomar el camino de baldosas amarillas que le llevaría al mundo real. Antes de pisar la primera, volvió a darse la vuelta, caminó hasta la puerta y la golpeó con fuerza.

—¿Te has replanteado tus opciones? —preguntó Karol abriéndola de nuevo.

—¿Qué haces aquí? —inquirió Eberhard a su vez.

Durante el trayecto esa era la pregunta que más se había repetido en su cabeza. ¿Qué hacía Karol, un polaco sin patria que se dedicaba, según sus propias palabras, a deambular por el mundo, en Alicante?

—Vivo aquí, creía que eso era obvio —apuntó Karol entrando en la casa.

—¿Por qué? —siseó feroz Eberhard siguiéndole, y deteniéndose, perplejo, al entrar en un salón de dimensiones colosales, tanto, que fácilmente ocuparía más de la mitad del edificio.

—¿Dónde quieres que viva, bajo un puente? Reconozco que soy un tipo raro... pero eso no significa que sea estúpido. De hecho, me gusta gozar de cierta comodidad —explicó Karol sentándose en un sillón orejero de piel de color rojo.

Eberhard parpadeó asombrado ante lo que le rodeaba. Si el exterior de la casa parecía fruto de una fantasía psicodélica, el titánico salón en el que se encontraban era todo lo contrario. Paredes blancas vacías de cuadros, suelo emulando un tablero de ajedrez, muebles de ébano sin ningún adorno, sofás de piel de color chocolate... Solo el sillón rojo en el que estaba sentado Karol rompía las sobrias líneas. El sillón y, por supuesto, la esbelta torre redonda de paredes rocosas que se alzaba en el mismo centro de la estancia.

—No me refiero a eso y lo sabes —replicó Eberhard desviando la mirada de la torre. La que había visto en el exterior era cuadrada... y mucho más amplia. ¿O no?—. ¿Por qué has decidido instalarte en Alicante cuando, a tenor de lo que te debe haber costado este... lugar, puedes hacerlo en cualquier parte del mundo?

—¿Te gusta? Se construyó en base a mis indicaciones —apuntó Karol.

—¿Por qué Alicante? —reiteró Eberhard obviando su respuesta.

—¿Acaso piensas que me he construido esta casa para estar cerca de ti? —preguntó Karol burlón—. ¿De verdad te crees tan importante?

Eberhard abrió la boca para contestar que sí, pero, en vez de eso, negó con la cabeza.

—No, nadie es tan importante.

—Te equivocas. Tú sí lo eres. Al menos para mí —afirmó Karol sonriendo ladino.

—¿Qué?

Eberhard se dejó caer en uno de los sillones de piel y miró de nuevo, sin pretenderlo, la torre que se elevaba en mitad del salón para alzarse más allá del techo. Tal y como estaba ubicada debería coincidir en parte con la torre cuadrada que había sobre su cabeza.

—No creas que fue una decisión impulsiva, en absoluto. Llevaba tiempo pensando construir el Templo, pero la desidia me impedía decidirme. De hecho, incluso había dibujado los planos durante las muchas noches que paso insomne, pero no hallaba la motivación que me hiciera salir de la apatía y dar forma a mi sueño. Hasta que te conocí y, de improviso, encontré el aliciente necesario para dejar de deambular por el mundo.

—¿Por qué yo? —preguntó Eberhard turbado.

—Porque me di cuenta de que estabas tan perdido como yo lo estuve. Y supe que, haciendo realidad tus fantasías, también realizaría algunas de las mías. —«Y de paso, tendré la oportunidad de recuperar parte de la humanidad que me ha sido arrebatada.»

—¿Mis fantasías?

—Las tuyas, las mías, y las de muchos otros… en el Templo —afirmó Karol levantándose del sillón y comenzando a recorrer el salón—. Mira a tu alrededor, tengo el lugar, el tiempo y el dinero necesarios para hacer realidad cualquier deseo, cualquier fantasía. —«Excepto las que albergo en mi interior»—. Pero me faltaban los cómplices con los que llevar a cabo mi sueño. Tú serás el primero.

—¿El primero para qué? —susurró Eberhard cada vez más estupefacto.

—El primero en dotar al Templo de fantasías.

—Estás loco.

—No. En absoluto —replicó fijando su mirada en el alemán—. Solo soy diferente... al igual que tú.

—No somos tan parecidos —rechazó Eberhard—. A mí jamás se me ocurriría levantar una torre de piedra en mitad de mi casa —dijo mirando aquello que le tenía fascinado.

—Ah... la torre —musitó Karol siguiendo la dirección de su mirada—. No es una torre, es el pasadizo que da acceso al lugar más sagrado del Templo. El Santuario.

—¿El Santuario?

—El lugar donde todas las fantasías pueden hacerse realidad —explicó con una peligrosa sonrisa en los labios.

—Estás loco —repitió Eberhard.

—Quizá quieras participar de mi locura —le invitó dirigiéndose hacia la torre.

Y Eberhard, sin saber bien por qué, le siguió.

—Nadie puede entrar aquí sin mi permiso —declaró Karol deteniéndose frente a las macizas puertas de roble de la torre—. No es que tenga nada que ocultar —añadió—, simplemente prefiero mantener mi intimidad a resguardo de la curiosidad de mis empleados.

—¿Tienes empleados? —preguntó Eberhard asombrado—. Había pensado que querías mantener en secreto lo que haces aquí.

—¿En secreto? ¿Por qué? No hago nada que no harías tú en tu casa. Y, sinceramente, limpiar, cocinar y realizar el resto de tareas domésticas no se encuentra entre mis pasiones. Por tanto, sí, he contratado a un matrimonio para que se ocupe de mantener en orden el Templo. Caso aparte es el Santuario. Cada uno de mis invitados, cuando los haya, se ocupará de su espacio, al igual que yo me ocupo del mío —explicó marcando un complicado código numérico en el teclado situado junto a la puerta. Un agudo pitido anunció que la clave introducida era correcta.

Eberhard atravesó las puertas tras Karol, solo para encontrarse sobre un pequeño balcón separado del abismo por una balaustrada. El interior de la torre estaba hueco, excepto por las dos anchas escaleras que partían del balcón y cuyos peldaños nacían de las paredes de la torre, recorriéndola en espiral. Una ascendía varios metros hasta finalizar en una balconada tras cuyas recargadas balaustradas se entreveía una puerta roja. La otra escalera descendía hasta un vestíbulo tan profundo como el mismo infierno.

—Cielo e infierno —musitó Karol observando la sorpresa y el resquemor dibujados en los apuestos rasgos de Eberhard—. Pero al contrario de lo que puedas pensar, el infierno está arriba, y son mis dependencias privadas, en las que jamás debes entrar —le advirtió—. Acompáñame al cielo —dijo comenzando a descender.

Bajaron hasta llegar a una iluminada galería subterránea en la que había seis puertas, tres a cada lado. Karol se adentró en el largo pasillo ignorando las puertas abiertas que iba dejando tras él, y a las que Eberhard se asomaba curioso.

Cada puerta daba a una pequeña antesala en la que se abrían otras dos puertas. Una de ellas, la que estaba situada en el extremo opuesto a la entrada, daba a una habitación desierta. La otra, situada en un lateral, estaba cerrada.

—Están vacías —murmuró tras haber mirado las habitaciones de cinco antesalas.

—Ya te dije que me faltaban cómplices con cuyas fantasías llenar el templo —le recordó Karol encogiéndose de hombros frente a la puerta cerrada de la sexta antesala.

—Usa las tuyas para decorar las habitaciones —arguyó Eberhard entornando los ojos. Todo era demasiado extraño.

—Me temo que eso es imposible. —Karol marcó un código en el teclado numérico de la puerta, la abrió y entró en la antesala. Las dos puertas que había en ella estaban cerradas—. Mis fantasías no dependen de un entorno especial o de realizar juegos más o menos elaborados, sino de algo tan intangible como el deseo.

—Ya —resopló Eberhard burlón—. Te excitas oliendo la excitación de los demás.

—Básicamente.

—¿Básicamente?

—Mientras elegía los elementos con los que decorar tu refugio me di cuenta de que mi perversión es un poco más complicada de lo que había pensado —murmuró acercándose a la puerta situada frente a la entrada de la antesala.

—¿Más complicada todavía? Se me hace difícil imaginar cómo —siseó burlón siguiéndole.

—He descubierto que no solo me excitan los olores... si no también hacer realidad la fantasía de quienes aprecio.

—¡Qué filantrópico! —exclamó Eberhard con ironía.

—En absoluto. Es puro y simple egoísmo. Cuanto más contentos estén mis cómplices, tú en este caso, mejor oleréis, y más disfrutaré yo —explicó ladino—. ¿Sabes lo que dicen de la Boca de la Verdad?[2] —le preguntó señalando

2. Máscara de mármol colocada en el muro del pórtico de la iglesia de Santa Maria in Cosmedin, Roma.

una apertura metálica situada bajo el teclado numérico de la puerta cerrada.

—Sí, si metes la mano en ella y dices una mentira, la boca se cierra.

—Exacto. Aunque yo creo que la llaman la boca de la verdad porque nunca ha hablado; por tanto, nunca ha mentido. ¿Te atreves a meter la mano? —le retó con un deje de diversión en la voz.

Eberhard suspiró sonoramente y se avino al juego.

Karol marcó un largo código en el teclado y esperó hasta que este emitió un agudo pitido.

—A partir de ahora esta puerta solo se abrirá con tu mano, ni siquiera yo tendré ese privilegio —afirmó haciéndose a un lado—. Puedes sacarla —le indicó. Eberhard lo miró con los ojos entornados e hizo lo que le había pedido. La puerta se abrió lentamente—. Bienvenido a tu santuario privado —declaró Karol haciendo una floreada reverencia.

—Joder... —siseó Eberhard al entrar en la estancia.

Miró a su alrededor y, cuando eso no fue suficiente, giró sobre sus talones, observando con atención lo que le rodeaba. El deseo se despertó en su interior con la fuerza de un huracán, barriéndolo todo a su paso. Todo, menos la cordura.

—Estás jodidamente loco... y me quieres volver loco a mí —musitó acercándose a las cortinas de terciopelo rojo que cubrían por completo la pared en la que estaba la puerta. Las descorrió con lentitud, temeroso de encontrar tras ellas algo todavía más... tentador—. ¿Por qué has cubierto el espejo? —preguntó al descubrir lo que ocultaban las cortinas. De todo lo que había allí, el espejo era lo menos turbador, lo más normal.

—Eso no es un simple espejo —declaró Karol misterioso—. Es mágico.

—Claro. ¿También tienes escondidos por aquí a los siete enanitos? —comentó Eberhard burlón.

Karol enarcó una ceja ante la respuesta, y acto seguido caminó hasta la cama y cogió un mando a distancia que había sobre ella.

—Pregúntale al espejo qué hay tras él —le indicó a Eberhard.

—Espejo, espejito mágico, dime qué escondes —dijo Eberhard sobreactuando.

Y el espejo mostró lo que había tras él.

—¡Joder! ¡Qué coño ha pasado! —exclamó abriendo los ojos como platos.

—Ya te lo he dicho... es un espejo mágico —replicó Karol divertido.

Eberhard pegó la nariz al ahora transparente cristal y observó anonadado lo que había tras él, para, acto seguido, salir de la habitación.

—¡Abre esta puerta! —gritó desde la antesala.

Karol se echó a reír.

—¿Has descubierto el truco? —preguntó al llegar junto al alemán.

—Es un puto espejo espía,[3] como los que salen en las películas de policías —masculló este—. ¿Por qué narices tienes un espejo espía aquí?

—¿Para qué va a ser? Para mirar —respondió Karol sin inmutarse mientras metía la mano en una ranura metálica situada junto a la puerta todavía cerrada. Esta se abrió un instante después.

3. El espejo espía es en realidad un cristal tratado químicamente, no un espejo. Mientras la habitación desde la que se espía esté a oscuras y la habitación espiada iluminada, el otro frente del cristal mostrará un espejo. En el momento en que ambas habitaciones estén iluminadas, el espejo espía se volverá transparente.

—¡Pretendes observarme mientras hago el amor con mi mujer! —jadeó Eberhard atónito.

—Por favor… ¡No seas obtuso! —le espetó Karol entrando en una estancia de poco más de metro y medio de ancho y tan larga como la habitación con la que compartía pared y espejo.

Estaba fuertemente iluminada por los halógenos incrustados en el techo, y en ella solo había un cómodo diván de cuero rojo y una pequeña mesita.

—¡No soy obtuso! ¡¿Para qué si no has puesto un espejo espía en mi santuario?! —le increpó Eberhard dándole un empujón que lo lanzó contra la pared.

—Sí que eres obtuso. Y mucho —replicó Karol secretamente complacido porque Eberhard se hubiera referido al cuarto contiguo como «mi santuario» y por la alusión que había hecho sobre hacer el amor con su mujer allí. Sí, parecía que el alemán estaba empezando a entrar en el juego—. Si quisiera espiaros no habría tapado el espejo con cortinas, ni te hubiera enseñado mi reducto privado —inquirió Karol divertido—. O acaso no te has dado cuenta de que si corres las cortinas, yo no veo nada. Es tu decisión, y la de tu mujer si alguna vez la traes aquí, no la mía. Yo solo os ofrezco la opción.

—¡Ni lo sueñes! No vas a mirar —afirmó con menos rotundidad de la esperada al recordar que, hacía menos de veinticuatro horas, había fantaseado con mostrar a su mujer a los ojos del mundo para alardear de su belleza—. Sofía me mataría si se enterara… —musitó negando con la cabeza.

—¿Seguro?

Eberhard abrió la boca para contestar con un rotundo «Sí, seguro», pero la volvió a cerrar para no emitir sonido alguno. Lo cierto era que a esas alturas ya no estaba seguro de nada.

—Salgamos de aquí. No puedo pensar con ella mirándome —murmuró con la mirada fija en el otro lado del espejo.

—Habla con tu mujer —le sugirió Karol por enésima vez mientras vertía Żubrówka[4] en un par de vasos con hielo.

—Como si fuera tan fácil —refunfuñó Eberhard—, no me coge el teléfono.

—Lógico. Intentar solucionar los problemas por teléfono es de cobardes. Demuéstrale de qué pasta estás hecho y ve a hablar con ella en persona, eso le impedirá rechazarte —argumentó Karol acercándole la bebida.

—Ella no me rechazará. Lo hará su hermana o su amiga... depende de con quién esté pasando la noche —contestó Eberhard llevándose el vaso a la boca.

—¿No está en vuestra casa? —inquirió Karol entornando los ojos, calculador.

Llevaban más de tres horas bebiendo vodka en el gran salón, él sentado en su sillón rojo y Eberhard tumbado en uno de los sofás al más puro estilo «paciente con su psicólogo», dando vueltas sobre el mismo tema: Sofía. ¿Qué decirle? ¿Qué no decirle? ¿Cómo decírselo? ¿Cómo se lo tomaría si se lo decía? Para a continuación pasar a detallar sus virtudes: lo hermosa, dulce y cariñosa que era... Y sus defectos: su furia incontrolable, su tendencia a no escuchar a nadie cuando estaba enfadada y su propensión a lanzar teléfonos móviles contra la pared cuando se cabreaba. Lo que daba lugar a lo mucho que Eberhard la echaba de menos y cuánto deseaba que todo volviera a su cauce. Para re-

4. Vodka popular en Polonia.

tomar de nuevo el tema de: ¿cómo confesar? Bla. Bla. Bla. Comenzaba a resultar tedioso. Al menos para Karol. Eberhard estaba encantado de exponer sus desdichas. También estaba un poco borracho.

—¿Sofi? Por supuesto que no. Estará en casa de alguna de sus acólitas poniéndome verde —respondió estremeciéndose—. Seguro que les ha contado lo que cree que he hecho y estarán pensando cuál es la mejor manera de torturarme. ¡Oh, Dios! No voy a poder mirarlas a la cara nunca más —afirmó tapándose la cara con el antebrazo.

—Seguro que no es para tanto.

—Oh, sí. Sí que lo es. Tú no las conoces. Son temibles.

—¿Y qué más da? No estás casado con ellas, sino con Sofía. Sé valiente por una vez en tu vida y confiésale lo que sientes. Quizá te sorprenda —le instó Karol.

—Claro que me va a sorprender... echándome de casa —mascullló Eberhard bebiendo de nuevo—. Esto sabe mejor cuanto más lo bebo —comentó dando otro trago, este mucho más largo que el anterior.

—Síntoma inequívoco de que has bebido demasiado. Esta noche te quedarás a dormir —afirmó Karol estirando los brazos por encima de la cabeza y ahogando un bostezo. De verdad que estaba aburrido de tanta charla.

—¿Pretendes seducirme? —preguntó el alemán arqueando una ceja.

—Pretendo que tu mujer no me mate por dejar que conduzcas borracho —afirmó Karol poniendo los ojos en blanco.

—No estoy borracho.

—Lo estarás si sigues bebiendo.

—No pienso dormir en tu torre.

—Puedes usar una de las habitaciones de la planta baja... o dormir en el sofá, parece que le has cogido gusto.

—¿Qué voy a hacer? —musitó Eberhard tras dar otro trago a su vaso.

—Podrías probar a ser sincero —dijo Karol poniendo los ojos en blanco. Ya volvían otra vez sobre el mismo tema—. Dile la verdad, seguro que prefiere saber que te excitan las estatuas, antes que imaginar que le has puesto los cuernos con otra. —«Y luego, cuando pase un tiempo y las aguas estén calmadas, pásate por el santuario y echa un buen polvo con tu mujer para compensarme por esta tarde horrenda.»

—Ya se lo dije... le confesé que lo único que había hecho en Italia fue masturbarme con una estatua y no me creyó. Pensó que me estaba burlando de ella —murmuró llevándose la mano al pecho, como si le hubieran herido de muerte.

—Lógico, ¿acaso esperabas otra reacción? Nunca debes confesar nada importante en mitad de una discusión, y menos aún que te ponen las estatuas. Tienes que buscar el momento y el lugar adecuados. Ármate de valor, ve a buscarla donde esté y llévale rosas o bombones. Ya sabes, alguna de esas chorradas románticas que tanto les gustan a las mujeres.

—No va a querer escucharme.

—Claro que sí. Estoy seguro de que está deseando hablar contigo sobre lo que pasó en Italia. Solo tienes que ser un poco más valiente de lo normal y explicárselo —suspiró Karol rascándose el estómago, que en esos momentos rugía hambriento—, y no te olvides de las flores y los bombones.

—Me los tirará a la cara.

—¡Pues, si lo hace, la secuestras, la llevas a un lugar desierto y la obligas a escucharte! —Su paciencia acababa de ser sobrepasada.

—¿Que haga qué? —exclamó Eberhard.

—¡Sé Plutón, rapta a tu Proserpina y llévala contigo al

inframundo! —profirió levantándose del sillón y caminando hacia una puerta cerrada—. Voy a ver qué ha preparado Esme para cenar.

Entró en la moderna cocina y abrió una de las puertas de las cámaras frigoríficas que ocupaban toda una pared. Desestimó los platos más elaborados, decantándose al final por un poco de gazpacho con tropezones. De todos los platos españoles era el que más le gustaba. Sirvió un par de tazones colmados, los puso en una bandeja y regresó al salón, donde le recibieron los sonoros ronquidos de Eberhard.

Ignorando al dormido alemán, dejó la bandeja sobre la mesa y se tomó el gazpacho mientras cavilaba sobre la desesperación que acosaba a su amigo. Se dio cuenta de que, en contra de lo que siempre había creído, y tomando como base la aflicción de Eberhard, había sido más afortunado de lo que imaginaba. Karol nunca se había sentido realmente enamorado. Laska había sido más un capricho que un amor. Aun así, cuando el secreto que tanto se había esforzado en ocultar había salido a la luz, una de las cosas que más le había dolido había sido el rechazo de ella, aunque ni por asomo tanto como la traición de Tuomas. Negó con la cabeza. Casi agradecía todo lo que sucedió después, pues debido a ello no había tenido tiempo para sumirse en la desesperación, o al menos no demasiado. Había estado demasiado ocupado en otros asuntos más apremiantes, pensó acariciándose con las yemas de los dedos el párpado de su ojo de iris negro. Sacudió la cabeza para librarse del ingrato recuerdo, y después fue a una de las habitaciones de invitados, cogió una manta y, tras echársela sobre el cuerpo al alemán, se encogió de hombros y se retiró a su refugio en la torre.

—¿Quién será? —preguntó una voz femenina.

—Ni idea. ¿El señor no ha dejado nada dicho sobre él? —respondió otra voz, masculina esta vez.

—No. ¿Crees que se habrá colado sin permiso en la casa? —inquirió la mujer aferrando con fuerza una sartén que había tomado de la cocina.

—Imposible. Nadie puede sortear las medidas de seguridad de esta casa —apuntó él colocándose tras la mujer—. Seguro que es el dueño del coche que está aparcado fuera. Quizás él y el señor han estado de juerga toda la noche y por eso está dormido en el sofá.

—¿Tú crees que será amigo del señor? —dijo ella caminando decidida hasta el sofá.

—¿Por qué no? Cosas más raras se han visto —aceptó él asomando la cabeza por encima del hombro femenino.

—Disculpen —musitó Eberhard abriendo los ojos y observando a las dos personas que estaban frente a él. Eran mayores; rondarían los sesenta años, si no los habían dejado atrás ya. El hombre era de mediana estatura y regordete, y su rostro afable animaba a sonreírle. La mujer, en cambio, era bajita y muy delgada, nervuda. Y padecía de enfurruñamiento crónico—. Creo que me he quedado traspuesto —explicó sentándose y mirando a su alrededor—. ¿Dónde está Karol?

—En su torre —respondió el hombre antes de recibir un codazo de la mujer por bocazas.

—Soy Eberhard, un amigo de Karol. ¿Y ustedes son...? —preguntó sin perder de vista la peligrosa sartén que se balanceaba ante sus ojos.

—Si es amigo del señor, tendría que saberlo —apuntó la mujer entornando los párpados.

—Eh, sí. Ustedes deben de ser... ¿el matrimonio de servicio? —El hombre movió afirmativamente la cabeza. La mujer continuó empuñando la sartén—. Creo que debería marcharme.

—Pues yo creo que debo llamar a la policía. El señor no ha dicho que iba a tener visita, y siempre me avisa de todo lo que concierne a la casa —mascullló la mujer sin quitarle la vista de encima.

—Esme, tranquila, es un amigo —explicó Karol divertido, saliendo de la torre.

—Debería haberme avisado, señor —le reprendió ella—. No puedo cuidar debidamente de su casa si trae a extraños sin notificármelo.

—Lo siento, Esme. No pensé que fuera a quedarse a dormir —se disculpó Karol con una sincera sonrisa dibujada en sus labios—. Estoy muerto de hambre. ¿Podrías prepararme unos cereales, por favor?

—Un buen chocolate con churros es lo que le hace falta para llenar un poco ese cuerpo esmirriado —refunfuñó la señora mientras se dirigía a la cocina—. Vamos, Benito, no te quedes ahí parado como un zoquete; tienes cientos de cosas que hacer —reprendió al hombre mayor, que continuaba parado en mitad del comedor.

—Ahora mismo, Esmeralda —se apresuró a contestar él.

—¿Te quedas a desayunar? —le preguntó Karol a Eberhard cuando se quedaron solos.

—Solo tomaré un café, aún me da tiempo a llegar al trabajo —dijo mirando la hora—, y luego pasaré por la oficina de Sofía para hablar con ella. —Eberhard se levantó del cómodo sofá—. ¿Dónde puedo asearme?

Se dirigió a la puerta que le indicó su anfitrión y, tras asearse, regresó al salón y se tomó presuroso el café.

—Gracias —dijo antes de traspasar la puerta que le llevaría al exterior.

—No hay por qué —respondió Karol sonriendo—. Suerte.

—La necesitaré. —Abrió la puerta, pero antes de salir

se giró para mirar burlón al polaco—. No me extraña que quieras mantener a salvo tu intimidad —comentó burlón—. Esmeralda parece una mujer peligrosa.

—No te imaginas cuánto.

Inclinada frente al diminuto espejo del también diminuto aseo de la oficina, Sofía se peinó su larga melena, asegurándose de que suaves mechones ondulados le enmarcaran el rostro. Se puso un poco de rímel, aplicó una pizca de colorete en las mejillas y los párpados, y delineó con cuidado sus labios para luego pintárselos de brillante rojo pasión. Se recolocó bien los pechos dentro del sujetador para que se mostraran más firmes y alzados. Alisó con las manos las imaginarias arrugas del minivestido que llevaba, dio unos cuantos pasos atrás, y comprobó por enésima vez que su apariencia era tan irresistible y sensual como se había propuesto. El minivestido blanco, cortísimo, y con escote asimétrico de un solo tirante, se ajustaba a su voluptuoso cuerpo como si fuera un guante. Como complemento perfecto llevaba unas sandalias romanas, también blancas y con un tacón de vértigo, que hacían sus piernas larguísimas. Asintió con la cabeza, complacida por las compras que había hecho durante la media hora del desayuno. Puede que usara una talla 44, pero eso no significaba que no pudiera levantar la mirada, y otras cosas, de los hombres con los que se cruzara por la calle. ¡Y el gilipollas con el que se había casado estaba a punto de comprobarlo!

—Imbécil, anormal, estúpido... ¡Cerdo! —Fue enumerando una a una las cualidades de su futuro exmarido mientras metía en su enorme bolso la ropa más cómoda y sencilla, que había usado en la oficina—. Cabrón, te vas a enterar de quién soy yo —siseó al tocar el consolador que había guardado esa misma mañana en el bolso tras pasar toda la noche en vela, esperando a que el muy cabronazo regresara a casa, de rodillas a poder ser, y le diera una explicación ¡creíble!, para luego suplicarle, todavía de rodillas, y por supuesto entre sollozos, que le perdonara y volviera a aceptarle en su vida.

Pero no. Su queridísimo y amantísimo marido no se había dignado regresar.

Y ella se lo iba a hacer pagar. Con creces.

Iba a presentarse en la fábrica en la que él trabajaba vestida como una diosa del sexo y le iba a meter el puñetero consolador de mármol por la boca hasta asfixiarle. Sí. Eso haría. Y luego iría a un abogado y pondría en marcha el divorcio. Sin dudarlo un momento.

Apretó los labios para no dejar escapar el sollozo que se estaba formando en su garganta y se limpió las lágrimas que comenzaban a correr por sus mejillas con un pañuelo que sacó del bolso.

Eberhard miró nervioso el reloj de su muñeca. Había conseguido que un compañero le cambiara el turno para poder salir de trabajar un par de horas antes, y allí estaba ahora, temblando como un flan frente al edificio en el que trabajaba Sofía. Necesitaba urgentemente aclarar las cosas y, dado que era más que probable que su mujer se refugiara en casa de alguna amiga nada más acabar su jornada laboral, la única manera que se le ocurría de hablar con ella era sorprenderla a la salida del trabajo.

Se pasó las manos por las perneras del pantalón y luego intentó alisar sin éxito las arrugas de su camisa. ¡Estaba hecho un desastre! No le había dado tiempo a pasar por casa antes de ir a la fábrica y todavía llevaba la ropa del día anterior. Y eso por no hablar de la incipiente barba y el pelo alborotado. Sin duda lucía su mejor apariencia para deslumbrar a su mujer, pensó irónico. Sin dejar de observar el portal del edificio alzó la mano para peinarse con los dedos por enésima vez, y se quedó petrificado en mitad del gesto. Sofía acababa de salir. Pero no era solo Sofía, sino también la encarnación humana de la mismísima Proserpina, quien se mostraba ante él.

—¿Qué haces tú aquí? —exclamó ella conteniendo a duras penas la rabia. Acababa de fastidiarle el plan de dejarlo en ridículo delante de todos sus compañeros de la fábrica.

—Tenemos que hablar —exigió Eberhard haciendo un esfuerzo por no ponerse de rodillas allí mismo para declararle su amor y suplicar su perdón.

—No quiero escuchar nada que salga de tu boca mentirosa. ¡Cerdo! —siseó ella aferrando el bolso con ambas manos. Aún podía atizarle con el consolador en la cabeza y avergonzarlo en mitad de la calle. Así se daría cuenta de que nadie se reía de ella y salía impune.

—Sofía, por favor. Vayamos a un sitio tranquilo para que pueda aclararte que lo que pasó ayer no es lo que piensas —rogó Eberhard tomándola de las manos—. Hay una explicación lógica, y te aseguro que, en cuanto la escuches, te darás cuenta de que todo lo que has imaginado es una soberana estupidez.

—Vete a la mierda —le espetó soltándose de sus manos—. El único sitio al que iré contigo será al juzgado cuando salga la sentencia de divorcio.

Eberhard empalideció y su corazón se detuvo durante unos segundos antes de empezar a latir aterrorizado.

—No hablarás en serio —jadeó.

—¡Claro que hablo en serio! No pienso seguir casada con alguien que ni siquiera se molesta en pasar la noche conmigo, en nuestra casa —dijo ella limpiándose con el dorso de la mano las lágrimas que comenzaban a derramarse de nuevo de sus ojos—. Te esperé despierta toda la noche. ¡Y no viniste! —gimió furiosa.

—¡Pensé que no estabas en casa... que habías ido a dormir a casa de alguna amiga! —se excusó él mesándose el pelo.

—Ah, claro. Y como supusiste que yo no estaría en casa y, por tanto, que no podría descubrirte, te fuiste a dormir con tu puta. ¡Cabrón!

—¡No! Me... emborraché —confesó remiso— y me quedé dormido en el sofá de Karol. ¡No lo hice a propósito!

—¿Karol con «K»? —apuntó mordaz. Él asintió con la cabeza—. Estoy hasta las mismas narices de oírte hablar de ese tipo. Y ¿sabes lo que te digo? ¡Que, a partir de ahora, por mí como si te vas a vivir con él! —exclamó, y se dio la vuelta para marcharse.

—¡Espera! ¿Adónde vas?

—A dar una vuelta con alguna amiga. Aprovecha mientras tanto para sacar todas tus cosas de casa, ¡así no tendré que volverte a ver nunca más!

—¡Joder, Sofi! —gritó él perdiendo la paciencia—. Tienes que escucharme, y vas a hacerlo. Ahora.

—Oblígame —siseó ella con los dientes apretados.

Y él la obligó.

La cogió en brazos, exactamente igual a como lo había hecho Plutón con Proserpina, y, sin dudarlo un segundo, se dirigió al coche. Sofía parpadeó asombrada y, cuando se repuso de la sorpresa, intentó liberarse de los férreos dedos que se anclaban a sus muslos y su espalda, sin conseguirlo. Eberhard, dando gracias en silencio a todos los dioses por haberle permitido aparcar cerca, llegó hasta el coche, y la dejó en el suelo para al instante siguiente pegarse a ella, impidiéndole escapar mientras buscaba el mando a distancia. Abrió la puerta del acompañante y, sin delicadeza alguna, la empujó hasta dejarla sentada en el asiento y, mientras ella sacudía la cabeza, aturdida por la fuerza y determinación que él acababa de mostrar, saltó sobre ella y se sentó frente al volante. Un segundo después conducía a más velocidad de la permitida en dirección a un lugar que muy pocas personas conocían.

—¡Déjame bajar! —gritó Sofía mirándole maravillada. ¿Qué mosca le había picado para comportarse así? Parecía un dios lujurioso decidido a poseerla.

—No. Y deja de tocar la puerta, vamos demasiado rápido, si intentas bajar en marcha te vas a hacer mucho daño.

—¡Estás loco! —siseó alucinada—. ¡Me has secuestrado!

—Sí. Ha sido la única manera que se me ha ocurrido para conseguir que me dejes explicar —aseveró él con rotundidad—. Y sí. Estoy loco. Locamente enamorado de la mujer más terca, cabezota y suspicaz del universo entero. También de la más hermosa, adorable, y comprensiva. O eso espero.

Sofía lo miró con los ojos abiertos como platos y, sin saber bien qué contestar, optó por cruzarse de brazos y mirar por la ventanilla. Ya seguirían discutiendo cuando llegaran a su destino, porque en ese momento, a la velocidad a la que estaba conduciendo, no quería provocarle ninguna distracción. Podría ser peligroso para su integridad física.

Tras más de media hora conduciendo y hablando sin parar, Eberhard terminó de explicar lo que llevaba años ocultando. Observó por el rabillo del ojo a su mujer y comprobó que esta seguía silente, mirando enfurruñada el paisaje a través de la ventanilla. Su actitud le recordaba a la de una niña haciendo pucheros, era adorable. También desesperante, tanto como intentar abrir un hueco en un muro de hormigón a cabezazos. Por supuesto, Sofía era ese muro de hormigón, y las explicaciones que él le daba, los inútiles cabezazos.

—Sofi, dime algo —musitó apretando los dedos contra el volante.

Llevaba todo el trayecto intentando hacerle ver su error, confesándole una y otra vez lo que siempre se había negado a decir. Y ella se había limitado a enarcar una de sus preciosas cejas y mirarlo como si estuviera loco.

—Cerdo —dijo ella por toda respuesta. Luego se lo pensó mejor y decidió ampliar su réplica con algunas de las expresiones que le había enseñado su hermana—. Puerco, malnacido, putero, *podrioenvaca*.

—¿*Podrioenvaca*? ¿Qué clase de insulto es ese? —Eberhard intentó no reírse para no ofenderla. Sofía se limitó a cruzar con más fuerza los brazos contra el pecho, lo que hizo que sus senos se elevaran más, y él tuviera que hacer frente a una erección que en esos momentos podía ser fatídica—. Vamos, Sofi, te he explicado lo que pasó una y otra vez; no puedes ser tan obtusa de no entenderlo —gruñó enfadado por la reacción de su cuerpo. ¡Como si no tuviera otra cosa mejor que hacer que bregar con una mujer enfadada mientras se moría por follarla!

—¿Obtusa? ¿Yo? —jadeó ella girándose de improviso sobre el asiento y dedicándole la más asesina de sus miradas. Una mirada que no surtió el efecto esperado ya que los ojos de él estaban fijos en aquello que el cortísimo minivestido había dejado al descubierto con el súbito movimiento—. ¡Mira a la carretera! —gritó ella frustrada.

Eberhard dio un respingo e hizo lo que le ordenaba, al menos durante un instante; luego volvió a fijar la vista en el pequeño triángulo de tela blanca que relucía como un faro entre las piernas de su esposa. ¡Se moría por arrancárselo con los dientes!

—Me parece increíble que me llames obtusa cuando tú eres el peor cuentista del mundo —bufó enfadada mientras se recolocaba el vestido con un par de tirones.

Eberhard suspiró decepcionado—. Jamás he oído una excusa tan patética, tan irracional, tan estúpida... —siseó sacando un pañuelo de papel del bolso al notar que las lágrimas volvían a acumularse en sus ojos—. Así que debo creerme que desde que eras un adolescente estás obsesionado con las estatuas, más exactamente con una estatua en particular que para más inri te recuerda a mí. Y por eso viajas a Italia cada año, para recrearte la vista en esa tal Proserpina y matarte a pajas durante los dos días que estás allí en un intento por saciar tu hipotética obsesión y no pensar en ella durante el resto del año. Pero resulta que, ¡pobrecito de ti!, no lo consigues, y eso te desespera. Pero, gracias a Dios, o al destino, has conocido a un tal Karol, con «K» —apuntó mordaz—, que resulta que es un tipo muy raro que te comprende, y que para abrirte los ojos te lleva ¿a un taller de escultura para que le eches un polvo al pie de una estatua? —preguntó negando con la cabeza—. Te juro, Eber, que esa parte no me ha quedado nada clara. —Eberhard abrió la boca para replicar, pero ella continuó hablando, impidiéndoselo—. Y que, además, como el buen amigo que es, te regala un consolador, pero, ojo, no uno cualquiera, ¡qué va!, uno tallado especialmente para ti en mármol de Carrara, el más puro de todos —señaló irónica—. Y no contento con hacerte ese regalo tan especial y maravilloso, te sugiere que lo uses conmigo, después de confesarme tu supuesta obsesión, para que yo me vaya haciendo una idea de lo excitante que pueden llegar a ser el mármol y las estatuas. Y eso sin contar con que tu generoso colega nos ha cedido una habitación, situada en el Santuario, dentro del templo dedicado al placer en el que vive. ¿Me he olvidado de algo?

—No —gruñó Eberhard entre dientes. Tal y como ella lo contaba sonaba a cuento chino.

—¿Te has planteado escribir un guion y pasárselo a alguna productora? Estoy segura de que sería una gran película... —masculló Sofía cruzándose de brazos de nuevo.

—Joder, Sofi... Te he dicho la verdad, tienes que creerme.

—Oh, cariño, por supuesto que te creo. ¿Sabes si hay algún manicomio en Alicante? No estaría de más ir preguntando lo que cuesta para cuando llegue la hora de encerrarte. Quizá incluso te hagan un descuento si vas con Karol. Ya sabes... un «dos por uno».

—¡Quieres hacer el favor de tomártelo en serio!

—¿Quieres que me lo tome en serio? —preguntó ella muy despacio. El asintió con la cabeza—. Está bien, lo haré —aceptó respirando profundamente—. ¡Cabrón! ¡Hijo de puta! ¡Estoy hasta las mismas narices de escuchar tus cuentos chinos! ¡¿Pero tú te crees que soy gilipollas?! ¡Estatuas! ¡Un tipo con nombre de mujer que te regala un consolador y que, no contento con eso, te encierra en un taller para que te folles a una estatua! ¡Templos de placer! ¿¡No podrías haberte inventado algo más... creíble!? ¡Me estás poniendo los cuernos y te he pillado! Al menos ten el valor de confesarlo. ¡Bastardo! ¡Malnacido! ¡Cabrón! —gritó golpeándole en los brazos, la cabeza, el costado...

—¡Sofía, para! —rugió él intentando sujetarla con una mano, mientras mantenía la otra aferrada al volante.

Tomó una salida que llevaba a un camino de asfalto. Este se terminó poco después frente a unas puertas metálicas que interrumpían el trazado de unos altos muros.

En el momento en que detuvo el coche, Sofía abrió la puerta y salió disparada. Eberhard emitió un sordo gruñido, apagó el motor, tomó las llaves y salió tras ella. Una sandalia blanca pasó volando junto a su cabeza, la otra se estampó en su estómago.

—¡Deja de lanzarme cosas! —le gritó a su mujer.

Sofía, sin dejar de correr, abrió el bolso y buscó algo

más para tirarle. Lástima que fuera verano, pensó recordando el paraguas que siempre llevaba en invierno; hubiera sido una buena arma arrojadiza. Asió la bolsa con las prendas que había llevado puestas durante la mañana y se la lanzó a la cabeza, pero no le hizo más daño del que le haría una almohada. Siguió buscando y sus dedos se cerraron sobre el consolador de mármol. Lo empuñó en el interior del bolso y se giró hacia su marido, decidida a clavárselo en su negro corazón... o, al menos, a amenazarle con hacerlo. Los fuertes brazos de Eberhard la envolvieron como tenazas y sus dedos se abrieron, dejando caer el puñetero artefacto en el bolso.

—¡Basta ya, Sofi, pareces una histérica! —la amonestó alzándola hasta que sus pies dejaron de tocar el suelo, para a continuación caminar presuroso hacia las puertas. Soltó uno de los brazos al llegar a estas y pulsó un botón en el panel del videoportero, luego volvió a sujetarla con fuerza. Y durante todo ese tiempo, Sofía no cesó de intentar escaparse.

Instantes después el objetivo de la cámara se movió hasta quedar sobre ellos.

—¿Eber? —escucharon a través del altavoz del panel—. ¿Por qué tienes a una mujer furiosa entre tus brazos? —preguntó una voz de hombre con un extraño acento.

—Karol —saludó Eberhard sin saber bien qué decir—. Te presento a Sofía, mi esposa. Acabo de secuestrarla.

—¿Has hecho qué? —inquirió la voz metálica en tono estrangulado.

—¡Suéltame cabrón! —gritó Sofía a su vez intentando golpearle con la cabeza. Y la tenía muy, pero que muy dura.

—¡Joder, Karol, abre antes de que se me vuelva a escapar! —gruñó Eberhard apretando más fuerte los brazos para intentar detener a la fiera que tenía por esposa—. Por favor —se acordó de añadir.

Apenas un segundo después las puertas se abrieron y Sofía jadeó asombrada por lo que vio tras ellas. Acababan de entrar en el mundo del Mago de Oz. ¡El tal Karol, con «K», estaba todavía más loco que su marido!

Eberhard volvió a levantarla contra su pecho y atravesó el umbral del extraño universo de su amigo. Estaban en el punto de no retorno y, aunque no fuera así, no pensaba dar marcha atrás; había llegado demasiado lejos como para hacerlo. Caminó decidido sobre el sendero de baldosas amarillas... o al menos lo intentó, porque Sofía, una vez recuperada de la sorpresa, comenzó de nuevo a golpearle con lo que tenía a su alcance: los pies y la cabeza. La soltó en el mismo momento en que un fuerte golpe del talón al estrellarse contra su espinilla le hizo ver las estrellas.

—¡Joder! —siseó frotándose la pierna.

Sofía echó a correr hasta entrar en el jardín de guijarros de distintos colores, aferró un buen puñado entre las manos, y se lo arrojó.

—No toques esas piedrecitas, no creo que a Karol le haga ninguna gracia que le fastidies su jardín.

—¡Que se joda! —chilló ella agarrando otro puñado y lanzándoselas a la cara.

—Deja de lanzar piedras, o te juro que te ataré a uno de esos menhires y te ofreceré en sacrificio a los antiguos dioses —siseó Eberhard llegando junto a ella y sujetándola contra su cuerpo—. Estás en la casa de mi mejor amigo, haz el favor de comportarte como la diosa que le he dicho que eres en vez de como una maldita histérica.

—¿Le has dicho que soy una diosa?

—¡Sí!

—Está bien, puedes soltarme —masculló ella, elevando la barbilla con dignidad. Se iban a enterar esos dos imbéciles de lo fría que podía llegar a ser.

—¡Estupendo! —rugió Eberhard soltándola, pero sin alejarse mucho de ella, solo por si acaso.

Sofía irguió la espalda, dio un tirón al minivestido para bajárselo y que le volviera a cubrir los muslos, se recolocó los pechos en el sujetador, se atusó un poco el pelo y, aferrando con fuerza el bolso entre los dedos, echó a andar hacia la extraña casa que había en mitad de la propiedad.

Eberhard se estiró la camisa, se peinó el pelo con los dedos y la siguió con los ojos entornados. No se fiaba de ella ni un poquito.

Caminaron en silencio hasta llegar al colosal edificio rojo con una torre medieval que se alzaba sobre tu tejado. Sofía intentó mantener la compostura mientras miraba asombrada la extravagante construcción, pero no pudo evitar abrir los ojos perpleja al ver al extraño personaje que los esperaba apoyado indolente en el umbral de la puerta abierta.

Era más alto que su marido, y de constitución delgada, fibrosa. O al menos eso parecían indicar sus abdominales perfectamente definidos y los delgados bíceps que se marcaban en sus brazos cruzados a la altura del pecho. Llevaba unos pantalones de pijama de raso rojo que le caían muy bajos en las caderas y... nada más. Se había pintado de negro las uñas de las manos y de los pies, y su pelo, del naranja más intenso y artificial que Sofía había visto jamás, apuntaba puntiagudo en todas las direcciones, tal y como les pasaba a los personajes de dibujos animados después de meter los dedos en un enchufe. Pero fue la expresión de su cara lo que la dejó petrificada en el sitio. Sus rasgos casi femeninos, sus ojos de diferentes colores, uno azul y otro negro, y la línea apretada que formaban sus labios rosados no ocultaban el espanto que se intuía en su mirada, por mucho que él intentara disfrazar su gesto arqueando una fina ceja como si estuviera divertido.

—Señora —la saludó haciendo una pomposa reverencia.

—Señor —le respondió ella burlona, inclinándose levemente.

—No, por favor, somos viejos conocidos. Llámeme Karol.

—¿Viejos conocidos? Lo siento, pero me temo que no tengo el «disgusto» de conocerte —replicó ella altiva.

—Oh, sí nos conocemos. Hablamos por teléfono el domingo. Aunque creo recordar que no se despidió de mí antes de estrellarlo contra la pared.

—Ah, sí. Fue una lástima no haberte tenido delante en ese momento, me hubiera encantado estamparte el móvil en la cabeza, estoy segura de que la sangre haría juego con tu horrible pelo —afirmó ella con una enorme sonrisa en la boca antes de colocarse bajo el umbral de la puerta, junto a él—. Espero que no te importe que entre en tu casa y busque un lugar donde sentarme, me matan los pies después de haber caminado descalza sobre los guijarros de tu jardín. Por cierto, es la cosa más hortera que he visto en mi vida. Deberías haber puesto flores en vez de piedras.

—Tengo cierto problema con los olores de las flores. Resultan demasiado intensos para mi afinado olfato. Pero tendré en cuenta su sugerencia, e intentaré crear un pequeño jardín con flores de plástico para su uso y disfrute —declaró galante.

—Deja de tratarme de usted, me haces parecer vieja —le espetó ella entrando en la casa.

—Como desees —accedió mirando embelesado el balanceo de las caderas femeninas mientras Sofía se adentraba en el edificio—. Tu mujer es toda puro carácter —dijo mirando a Eberhard.

—No lo sabes bien —suspiró este siguiéndola.

Sofía tragó saliva y caminó con toda la dignidad que

pudo hasta uno de los múltiples sillones de piel que había en el salón. Se sentó muy erguida y observó, sin molestarse en ser discreta, lo que la rodeaba. La estancia era enorme, y en el mismísimo centro había una torre redonda que, si sus cálculos no fallaban, coincidía en su ubicación con la torre exterior, mucho más grande y cuadrada. Aparte de esa peculiaridad y del titánico tamaño del salón, el resto era de lo más normal… y de lo más soso. Varios sillones y sofás colocados formando cuadrados rodeaban la torre; en un extremo había un mueble bar y, frente a este, una enorme mesa de ébano en la que podrían comer al menos quince personas en sus correspondientes sillas sin tocarse; y, en las paredes, un montón de puertas cerradas. No había cuadros ni adornos ni plantas… por no haber, no había ni siquiera un televisor.

—¿Os apetece tomar algo? —preguntó Karol situándose junto al mueble bar.

—Un refresco para mí… y un vaso de arsénico para Eber, gracias.

—¡Sofi!

—¿Qué? Seguro que te sienta de maravilla —replicó ella toda inocencia.

—Prepárame un vodka con hielo, por favor —solicitó Eberhard ignorando la pulla de su mujer y situándose frente a ella—. Este es el Templo… el lugar del que te he hablado en el coche —comenzó a decir.

—¡Eber! —gritó Karol, llamándolo.

—Dame un momento por favor —le contestó sin mirarle.

—No. Ven. Ahora —exigió rotundo Karol.

El alemán puso los ojos en blanco y, tras exhortarle a su mujer que no se moviera, fue a ver qué narices quería su amigo.

—¡Estás loco! —siseó Karol las palabras favoritas de

Eberhard cuando este llegó junto a él—. ¿Por qué la has traído aquí?

—Tú me lo dijiste.

—¿Yo?

—Sí. Sé valiente, dijiste. Secuéstrala como haría Plutón con Proserpina y llévala al inframundo. Y eso he hecho.

—Pero... me refería a que la llevaras a un sitio tranquilo y alejado... ¡no a que la trajeras al Templo!

—Este es un sitio tranquilo y alejado —declaró Eberhard pasándose las manos por el pelo.

—¡Has traído a un cordero a la guarida del lobo! —susurró Karol señalando con sus ojos bicolores a la mujer que miraba atónita todo lo que la rodeaba—. Te dije que le confesaras tu afición por las estatuas e intentaras llevarla poco a poco a tu terreno. ¡No que la sumergieras de lleno en nuestro mundo! —jadeó al ver que ella se levantaba y se dirigía decidida hacia la torre—. Tienes que alejarla de ahí antes de que se empeñe en entrar y descubra tu santuario —musitó frotándose la nuca.

—No. Ya estoy harto de ocultarme e ir con cuidado con todo lo que hago y digo, no sirve de nada. Quiero que vea lo que soy. Si me quiere, lo aceptará, y si no...

—No lo entiendes. No basta con confesar la verdad, debes hacerlo de manera que ella pueda aceptarlo. Tienes que mostrarle tu mundo poco a poco, con tiento, para evitar que lo rechace antes de comprender que no es tan depravado como puede parecer. Llevas años ocultándote ante ella. Si ahora se lo enseñas todo de golpe, se espantará y te explotará en la cara —susurró vehemente.

—¿Eso es lo que te pasó, Karol? ¿Tu pareja descubrió algo que tú no querías mostrarle y te viste obligado a revelarle tu obsesión? ¿Te rechazó? —inquirió Eberhard mirándolo atentamente—. ¿Por eso estás tan empeñado en que no siga mintiéndole a Sofía? ¿Por eso me adviertes una y otra vez de que me descubrirá por mucho que intente ocultarme? —Se acercó al polaco hasta quedar a un suspiro de él—. Y por eso me regalaste el consolador de mármol... para que fuera adentrándola poco a poco en mi mundo y no me explotara en la cara, como te pasó a ti —afirmó.

—Eso no es de tu incumbencia —replicó Karol retrocediendo para poner distancia entre ellos—. Puedes hacer lo que más te plazca con tu vida. Y, por supuesto, puedes utilizar tu morada en el santuario como prefieras. Me es indiferente —afirmó dirigiéndose a la torre.

—¿Qué vas a hacer? —le retuvo Eberhard sujetándole por la muñeca.

—Abrirte las puertas del Inframundo.

—¿Mirarás a través del espejo? —susurró reteniéndole aún.

—Solo si tú descorres las cortinas —contestó tajante.

—¿En serio vas a pasar toda la noche tras el espejo, esperando una oportunidad para observarnos? —le preguntó, intrigado al descubrir que le resultaba extrañamente excitante pensar en ello.

—¿Pasar toda la noche observando unas cortinas? ¡Por supuesto que no! Hay muchas otras cosas mejores que mirar en las que dedicar mi tiempo. —«Como por ejemplo mi polla mientras me masturbo durante vuestra sesión de sexo. Claro que eso será si consigues que ella no te abandone asqueada», pensó intentando sentir una indiferencia que estaba lejos de su alcance en esos momentos. Su amigo iba a meter la pata hasta el fondo, y cuando lo hiciera... No querría estar en su piel.

Sofía observó perpleja cómo el insólito amigo de su marido se dirigía hacia la extravagante torre que había en mitad del salón y pulsaba los números de un teclado que había junto a la puerta. Un instante después, esta se abrió lentamente, y él, girándose hacia ellos, hizo una pomposa reverencia que finalizó con su elegante mano señalando la entrada.

—Os deseo una feliz velada —declaró, y a continuación desapareció en el interior de la torre.

—¿A qué ha venido eso? —preguntó ella asombrada.

—Ven —exigió Eberhard como única respuesta.

—Ni lo sueñes. No me meto ahí ni loca.

—Ya lo creo que lo harás —sentenció él encarándose a ella con los rasgos contraídos por la determinación.

—¿Vas a secuestrarme de nuevo? —replicó burlona.

—Si quieres saber la verdad, me acompañarás. Si no lo haces, no tenemos nada más que decirnos —sentenció Eberhard entrando en el hueco del vestíbulo de la torre para descender por las escaleras.

Sofía abrió la boca para protestar airadamente, pero se lo pensó mejor y decidió seguirle. Al fin y al cabo, si iba a partirle la cabeza con el puñetero consolador de mármol, qué mejor que una mazmorra donde nadie pudiera observar su crimen.

—¿Qué es este lugar? —le preguntó adentrándose remisa en la galería subterránea.

—Karol lo llama el Santuario —explicó nervioso. Dejó atrás las puertas cerradas y se detuvo ante la que Karol le había mostrado diciéndole que era la suya—. Hay seis habitaciones, cinco están vacías porque aún no tienen dueño —musitó sin atreverse a continuar.

—¿Y la sexta? ¿No está vacía?

—No. Es... es la nuestra —dijo él, y, armándose de valor, marcó el código numérico que le permitiría el acceso a la antesala.

—¡Vaya! —siseó Sofía al entrar en esta y ver las dos puertas cerradas con sendas aberturas metálicas bajo el picaporte—. Esto parece la guarida secreta del FBI.

—Karol está un poco obsesionado con la intimidad —comentó Eberhard. Al menos eso intuía tras ver todas las medidas que el polaco había tomado para proteger su intimidad... y la de sus amigos. Introdujo la mano en el panel metálico que había en la puerta de su habitación—. Bienvenida —murmuró bajando la cabeza cuando la puerta se abrió. Temía, con motivos fundados, la reacción de su esposa cuando viera el interior.

—¿Qué narices es esto? —jadeó Sofía entrando en el cuarto con los ojos y la boca abiertos como platos.

Era una estancia enorme de techos altísimos, mucho más grande que el salón de su propia casa. La pared en la que se abría la puerta estaba totalmente tapada por unas cortinas, mientras que las otras tres alternaban espejos del suelo al techo con paneles de mármol rosado. Pegada a una de las paredes laterales había una enorme cama y, a los pies de esta, una impresionante estatua en la que un hombre barbudo, apenas tapado por un lienzo que caía por sus caderas, secuestraba a una muchacha desnuda de formas voluptuosas y cabello rizado.

—Es una réplica de *El rapto de Proserpina*, de Bernini —se atrevió a explicar Eberhard.

—¿Esta es la famosa Proserpina? —le preguntó Sofía sorprendida, dejando el bolso en el suelo, a los pies de la cama.

—Sí —afirmó él con la mirada fija en su esposa mientras intentaba hacer frente al inquietante deseo que le recorría.

—Es idéntica a mí —susurró Sofía acercándose a la estatua.

El jadeo ahogado que escapó de los labios de su marido en el momento en que tocó el pulido mármol la hizo detenerse. Se giró lentamente y lo observó sobrecogida. Eberhard estaba en mitad del cuarto, muy quieto, con las manos cruzadas en aparente relax sobre su ingle y los músculos de sus brazos marcándose en tensión bajo las mangas de la camisa. Tenía la frente perlada de sudor y mantenía los labios apretados en una fina línea. Atenta a su reacción, Sofía dio un paso atrás, luego otro, muy despacio, hasta alejarse de la estatua que tanto parecía perturbarle, y se dirigió hacia las que había junto a los laterales de la cama.

—¿Las has elegido tú? —le preguntó pretendiendo aparentar una serenidad que no sentía. ¡No le había mentido en ningún momento! Las esculturas que allí había, y su reacción ante ellas, eran buena prueba de que su obsesión era real.

—No —contestó Eberhard entre dientes, empleando toda su voluntad en luchar contra el libidinoso deseo que le instaba a tumbar a su esposa sobre la cama y hacerle el amor hasta oírla gritar—. Ha sido Karol. Yo no tenía ni idea de lo que había montado aquí hasta que me lo enseñó el domingo.

—Tiene buen gusto —comentó Sofía sin desviar la vista de las esculturas.

Junto al lateral izquierdo de la inmensa cama había un hombre de mármol; estaba tumbado de espaldas sobre un lecho del mismo material, sus manos reposaban bajo su nuca y en sus brazos doblados se marcaban sus fuertes bíceps y tríceps. Tenía las piernas extendidas y un poco abiertas y su orgulloso, pulido y erecto pene se elevaba imponente sobre el tallado vello púbico de su ingle. Sofía extendió la mano y acarició con lentitud el glande perfectamente esculpido. Un nuevo jadeo abandonó los labios de su marido, haciéndola sonreír. Se giró subiéndose a la cama y la atravesó a gatas hasta llegar al otro extremo, junto a la estatua de la mujer dormida. Al igual que el hombre, también estaba tumbada de espaldas sobre un lecho de mármol, pero en su postura no había lascivia, sino voluptuosa dulzura. Uno de sus brazos estaba situado por encima de la cabeza, mientras que el otro caía laxo sobre su vientre, con los dedos de la mano apuntando relajados a su liso pubis.

—Es hermosa—susurró observando sus pechos erguidos.

—Ni de lejos tanto como tú —musitó Eberhard, mirándola embelesado.

Sofía elevó la cabeza al escucharle y le dedicó la más preciosa de las sonrisas. Luego, bajó de la cama y caminó hasta las cortinas de terciopelo rojo que cubrían por completo la pared en la que se abría la puerta. Las descorrió. Tras ellas solo había un espejo.

—¿Por qué está tapado? —preguntó curiosa.

—No es exactamente un espejo —dijo Eberhard tras inspirar con fuerza.

—¿No? Pues lo parece.

—Es… un espejo espía. Por este lado te ves reflejada, pero por el otro es un cristal transparente. Quien mire a través de él puede ver todo lo que aquí ocurra —explicó tras armarse de valor. Sofía arqueó una ceja instándole en silencio a continuar—. Al otro lado del espejo hay un pequeño cuarto.

—¿Karol es un *voyeur*? —dijo al recordar la puerta cerrada que había en la antesala.

—No. Karol es… un tipo extraño, como yo. Se excita con los olores, para él la vista es solo un complemento prescindible.

—¿Está mirándonos ahora? —inquirió pegando la nariz al cristal.

—No… no creo que le interesen nuestras discusiones conyugales. Seguro que tiene cosas mejores que hacer que perder el tiempo mirando unas cortinas —afirmó recordando lo que le había dicho el polaco apenas unos minutos antes.

Por si acaso, corrió las cortinas para tapar el espejo.

—Oh —musitó Sofía con una desilusión en la voz que no se le escapó a Eberhard.

—¿Sofi? —La miró con los párpados entornados, recordando que a ella siempre le había gustado hacer el amor con las cortinas descorridas de la habitación. ¿Sería posible que…?

—Así que esta es la diosa que me hace sombra —se apresuró a cambiar de tema.

—Nada ni nadie podrán hacerte sombra jamás —aseveró él con rotundidad—. Es solo que… Proserpina está en mi mente y no consigo deshacerme de ella por mucho que lo intento —murmuró bajando la mirada al suelo.

—Somos muy parecidas —afirmó Sofía acercándose a él.

—Sí. Ella es una diosa pétrea y tú eres la divinidad hecha mujer —contestó.

Y a cambio, Sofía le regaló su sonrisa más hermosa.

—Te excita estar rodeado de estatuas —señaló ella apretando la palma de la mano contra la formidable erección que se marcaba bajo los vaqueros de Eberhard.

Este desvió la vista apenas un instante hacia la estatua del hombre erecto, y de ahí hasta *El rapto de Proserpina,* sintiendo que su excitación crecía exponencialmente ante las caricias de su esposa y la lúbrica visión de las estatuas.

—Sí —consiguió jadear él mientras ella le masajeaba el pene con lentitud.

—¿Quieres follártelas?

—No. Es una reacción de mi cuerpo que no puedo controlar. Me excito al ver cualquier estatua, pero no quiero follármela —rechazó negando con la cabeza incapaz de explicarse—. Antes de conocerte, cuando estaba frente a alguna estatua, lo único que deseaba era estar solo para poder matarme a pajas. Pero un día te vi y todo cambió —murmuró posando la mano sobre la de Sofía para detener el vaivén que le estaba volviendo loco. Necesitaba de toda su concentración para poder explicarle lo que sentía—. Eras mi Proserpina privada, mi fantasía hecha realidad. Cada vez que acudías a las actuaciones del grupo solo podía pensar en follarte. Lo deseaba más que nada en el mundo. Eres la perfección hecha mujer —musitó reverente—. Pasé noches enteras masturbándome mientras te evocaba, incapaz de separar tu imagen de la de la diosa. Y un día te acercaste a mí y me preguntaste dónde iban a tocar los Spirits el fin de semana siguiente.

—¿Te acuerdas de eso? —preguntó ella alucinada. Eberhard asintió con la cabeza—. Fue solo una excusa para hablar contigo.

—Toqué el cielo con las manos ese día. Por fin pude conocerte, y me enamoré irremisiblemente. Eras la mitad que le faltaba a mi alma. Quise que fueras mi amiga, mi amante... No me detuve hasta convertirte en mi esposa, y luego me di cuenta de que era un jodido cabrón, porque, mientras tú te entregabas a mí por completo, yo metía a Proserpina con nosotros en la cama. —Desvió la mirada del rostro de Sofía, avergonzado—. Proserpina aparecía en mi cabeza cada vez que hacíamos el amor, y yo no podía hacer nada para evitarlo —confesó con amargura.

—Y fue entonces cuando comenzaste a inventar excusas para no hacer el amor —dijo ella tomándole la cara con las manos para obligarle a mirarla.

—Sí —musitó abatido—. Fue la única manera que se me ocurrió para no sentir tanto asco de mí mismo.

—¿Quieres follarla a ella cuando me estás haciendo el amor a mí?

—¡No! —exclamó con vehemencia—. No lo entiendes, yo mismo no lo entendí hasta que Karol me obligó a abrir los ojos en el taller de escultura —musitó pasándose las manos por el pelo—. Cuando me masturbé con esa misma estatua —dijo señalando *El rapto de Proserpina*—, era a ti a quien acariciaba, a quien veía. De la misma manera, cuando hacemos el amor, es a ti a quien veo, a quien quiero, a quien deseo… eres tú convertida en diosa. Eres una Proserpina, transformas la fría divinidad del mármol en calidez humana —confesó cerrando de nuevo los ojos—. Aberrante, ¿verdad?

—¿Es aberrante que me asimiles a una diosa? No… No lo es. Es hermoso —dijo poniéndose de puntillas para besarle.

Luego le tomó de la mano y lo llevó hasta la cama.

Eberhard se sentó en el colchón tan aturdido por su inesperada respuesta que era incapaz de reaccionar.

Sofía se quitó el vestido con lentitud frente a él, disfrutando de los estrangulados jadeos que escapaban de los labios masculinos según iba deslizando la prenda por su vientre y sus pechos, hasta deshacerse por completo de ella. Luego comenzó a jugar con las yemas de los dedos sobre el encaje del sujetador, bajándolo poco a poco, liberando sus pechos con extrema languidez hasta que su marido se vio obligado a separar las piernas para dar acomodo a la impresionante erección que presionaba contra los vaqueros.

—Quítate la ropa, Eber. No querrás reventar la bragueta de los pantalones, ¿verdad? —dijo burlona acariciándose los pezones con los dedos.

Eberhard se apresuró a obedecerla. Se deshizo de la camisa sin molestarse en desabrochar los botones que la cerraban y, en el mismo momento en que se quitó los pantalones, Sofía se liberó al fin del sujetador.

Lo miró con una sensual sonrisa en los labios y, antes de que él pudiera intuir lo que estaba pensando, se giró, mostrándole su perfecto trasero enfundado en unas escuetas braguitas de encaje blanco de las que se deshizo con exasperante lentitud, para luego doblarse por la cintura y sacar algo del bolso, que estaba en el suelo. Cuando volvió a erguirse sujetaba el dildo de mármol en una mano. Se lo llevó a la boca, lo lamió golosa y luego lo deslizó por el cuerpo de su marido.

Eberhard cerró los ojos al sentir la punta del pulido falo recorrer su cuello para luego descender por su torso y acariciar sutil sus tetillas. Un jadeo estrangulado abandonó sus labios en el momento en que Sofía paseó la pétrea verga por sus abdominales en dirección a su entrepierna, hasta posarla lujuriosa sobre su polla.

—¿Te gusta? —le preguntó ella frotando la fría suavidad del mármol contra el erecto pene.

—Sí —susurró él respirando erráticamente ante las placenteras caricias.

—Hazme el amor, Eber, y no te guardes nada dentro —le exigió.

Y Eberhard lo hizo.

La tomó en brazos y la tumbó en la cama con una ferocidad no exenta de ternura para a continuación lamer y mordisquear sus labios, exigiendo que los abriera, y, cuando ella consintió rendida, hundió la lengua en el interior de su boca, paladeando arrebatado su dulzura mientras sus manos recorrían el cuerpo femenino. Se detuvo sobre los perfectos pechos, los alzó y masajeó hasta que la escuchó jadear, y luego apresó entre sus dedos los erguidos pezones para jugar con ellos mientras sus labios descendían con lentitud por el delicado cuello femenino, por su clavícula, por sus pechos. Degustó a placer las sonrosadas cimas, las succionó con fruición y, cuando su mujer arqueó la espalda para acercarse más a él, capturó un pezón entre los dientes y tiró de él.

Sofía tensó cada músculo de su cuerpo y elevó las caderas hasta que sintió la anhelada polla contra su necesitada vulva. Envolvió la cintura masculina con sus piernas y meció su sexo contra la erecta verga. O al menos lo intentó, porque, al instante siguiente, los fuertes dedos de Eberhard aferraron sus tobillos, obligándola a separar las piernas y colocar los pies sobre sus hombros. Lo sintió recorrer despacio su vientre, deteniéndose para trazar círculos sobre su ombligo, volviéndola loca de deseo e impaciencia. Lo tomó del pelo y le instó mediante tirones carentes de delicadeza a que bajara la cabeza a donde realmente lo necesitaba. ¡Ya tendría tiempo más tarde de ocuparse de su ombligo!

Eberhard sonrió satisfecho y descendió hasta donde eran requeridos sus servicios, pero, antes de emplearse a fondo en la grata labor, asió el olvidado dildo y comenzó a dibujar con él sobre la piel de su mujer. Lo deslizó por su pubis, acercándolo poco a poco a la vulva, pero sin llegar a tocarla, atento a los escalofríos que recorrían su voluptuoso cuerpo con cada frustrante caricia. Bajó la cabeza y dejó que su lengua aleteara sobre los labios vaginales mientras frotaba las mejillas contra la suave piel del interior de los muslos femeninos, y, cuando la sintió agitarse impaciente, recorrió su sexo en una larga pasada que lo llevó hasta el clítoris. Esbozó una lasciva sonrisa al escuchar el grito enronquecido de Sofía y penetró con el consolador la empapada vagina. Continuó torturándola con sutiles caricias de su lengua a la vez que el marmóreo juguete invadía perezoso el interior femenino, adentrándose un poco más en cada lenta embestida para luego retroceder en una frustrante retirada. Un airado gruñido le indicó que su diosa estaba perdiendo la paciencia. El fuerte tirón de pelo que vino después le advirtió de que el tiempo de jugar estaba llegando a su fin. Y así fue.

—Eber, por favor —jadeó Sofía empujándole con ambas manos contra su sexo.

Y Eberhard obedeció las órdenes de su diosa.

Hundió con fuerza el marmóreo dildo en la vagina

para luego sacarlo con celeridad y volver a introducirlo apenas un instante después y, mientras sus manos se afanaban en imitar los movimientos que deseaba hacer con su polla, su boca se regodeó en el hinchado clítoris, succionándolo hasta que un estremecimiento recorrió el cuerpo de su amada y un gritó de placer escapó de sus labios. Solo entonces se permitió Eberhard elevar la mirada y fijarla en el rostro de su esposa. Y allí estaban ellas. Las dos. Proserpina hecha mujer. Sofía convertida en diosa.

Apartó el consolador del lugar que era suyo por derecho, asió con dedos férreos las níveas piernas de su esposa, instándola a separarlas más, y, sin detenerse un instante, enterró la polla en la palpitante vagina. Apoyó una mano junto al rostro de su esposa, y embistió con rapidez y dureza, una y otra vez, hasta que los cuerpos de ambos estallaron en un éxtasis embriagador que los dejó sin respiración.

En el cuarto en penumbra, al otro lado del espejo, tumbado desnudo sobre el diván, con un pie en el suelo, el otro sobre el asiento de cuero rojo y las manos aferradas a su polla, Karol inspiró profundamente el enloquecedor y lúbrico aroma del orgasmo simultáneo que le llegaba a través de las rejillas de ventilación que había a ras del suelo y que comunicaban ambas habitaciones.

—Ah, el amor tan hermoso e inalcanzable. Afortunado es quien lo consigue, más afortunado aún quien logra mantenerlo por siempre —jadeó moviendo las manos con mayor rapidez sobre su pene hasta alcanzar una liberación que hacía mucho tiempo que estaba buscando.

Y

Eberhard abrió los ojos, somnoliento, giró la cabeza y hundió el rostro en la sedosa melena de su mujer. Estaba allí, junto a él. No había salido huyendo, asqueada por su obsesión, ni tampoco le había tirado nada a la cabeza, todo un milagro teniendo en cuenta lo aficionada que era a tirar cosas cuando se enfadaba. Sonrió divertido por ese pensamiento y se incorporó despacio, su mirada se posó en *El rapto de Proserpina* y, desde allí, se deslizó hasta quedar fija en la pétrea erección del yaciente hombre de mármol. ¿Cómo sería sentir el mármol adentrándose en su interior? Tragó saliva y negó con la cabeza. Ya había arriesgado demasiado por una noche, no quería tentar a la suerte. Y, además, tenía necesidades más acuciantes. Estaba muerto de sed y necesitaba asearse aunque fuera mínimamente. Bajó de la cama y recogió sus pantalones, decidido a subir a la planta superior para encerrarse en el cuarto de baño. Se detuvo antes de vestirse. Era extraño que Karol, siendo tan detallista como era, no hubiera previsto que antes o después necesitarían usar el baño. Entornó los ojos y miró con atención los paneles de mármol rosado que había entre los espejos de la pared. Caminó hasta uno que parecía sobresalir del resto y lo empujó con suavidad. Se abrió silencioso mostrándole que, efectivamente, su amigo no había olvidado ningún detalle. Entró en el sencillo cuarto de baño, bebió agua directamente del grifo y, después, intuyendo que Sofía tardaría en despertase, se metió bajo la ducha. Cuando acabó, se dirigió hasta el mueble que había bajo el lavabo. Seguro que allí encontraría un peine. Y lo encontró, junto a otras cosas muy interesantes. Dio un paso atrás, remiso siquiera a pensar lo que su mente se empeñaba en mostrarle, y abandonó la estancia. Se acercó a Sofía, continuaba dormida. Miró la estatua masculina y, antes de recapacitar sobre lo que iba a hacer, regresó al cuarto de baño y cogió el gel lubricante que había encontrado en el cajón.

Se paró junto al marmóreo hombre, miró a Sofía avergonzado por sus lúbricos deseos y vertió un chorro de gel en la palma de su mano. La acercó hasta la pétrea verga de la estatua y comenzó a aplicar el gel sobre ella. Cuando estuvo completamente ungida en lubricante, volvió a mirar a su esposa y, tras comprobar que continuaba dormida, se colocó a horcajadas sobre la rígida polla y descendió con lentitud sobre ella. Echó la cabeza hacia atrás cuando sintió el pulido glande tentando su ano, apoyó las manos sobre los tallados abdominales de la estatua y comenzó a mecerse con suavidad, empalándose con lentitud en la firme verga. Su boca se abrió en un mudo grito de placer cuando el bruñido mármol se hundió en su ano, llenando su recto con fría calidez.

Karol se despertó con el olor de la excitación de Eberhard inundando sus sentidos. Se irguió despacio sobre el diván y frunció el ceño confuso. Inspiró profundamente y entornó los ojos en la oscuridad reinante. Su amigo estaba muy excitado... también muy turbado. Pero solo le llegaba el intenso olor de él, y no el de su esposa. ¿Qué demonios estaba pasando?

De improviso el olor que le llegaba cambió, transformándose en el inquietante efluvio del pánico. Se levantó con rapidez y se acercó hasta la pared de cristal que solo le mostraba unas cortinas rojas. Preocupado por su amigo, pegó el oído a ella, intentando escuchar algo que le indicara qué estaba pasando en la habitación contigua.

Un jadeo aterrado. El susurro de unos pies descalzos sobre el suelo. El gemido entrecortado y sollozante de Eberhard llamando a su mujer. Y, de repente, alguien descorrió las cortinas, mostrando ante sus ojos lo que estaba ocurriendo al otro lado.

—Sofía —musitó Karol asombrado.

Desnuda frente al espejo, la hermosa mujer dio unos golpecitos en el cristal, como si quisiera llamar su atención, y después sonrió ladina girándose hacia la cama.

Y, entonces, Karol entendió lo que pasaba. Su amigo estaba sentado sobre la estatua masculina, con la polla del hombre marmóreo firmemente empalada en su recto.

—Puede que no te vayan los hombres, amigo —musitó—, pero las estatuas te subyugan.

Negó con la cabeza, preocupado y a la vez extrañamente aterrado por la reacción de Sofía. En contra de todos sus esfuerzos por mantenerse indiferente, lo cierto era que le había cogido cariño al alemán y no quería que nadie le hiciera daño. Mucho menos su esposa, porque, si ella lo rechazaba, lo destrozaría. Y Karol no deseaba ver a su amigo tan hundido como él mismo lo estuvo.

—Sofi, yo… —escuchó la voz trémula de Eberhard a través de las rejillas.

—Tranquilo, Eber, no pasa nada —lo tranquilizó ella con voz dulce—. ¿Crees que soy hermosa? —le preguntó girándose para quedar de nuevo frente al espejo.

—Más que nada en el mundo —susurró Eberhard fijando la mirada en el reflejo de su esposa. Ella sonrió orgullosa e irguió más todavía la espalda.

—Y Karol, ¿crees que pensará lo mismo? —preguntó con un leve asomo de duda en su voz.

—Sí —murmuró Eberhard comenzando a intuir adónde quería llegar Sofía.

—¿Crees que le gustará mirarme… mirarnos? —inquirió llevando las manos a sus pechos y comenzando a acariciarlos.

—Estoy seguro.

—¿Te importa? —musitó ella fijando su mirada en la de su marido reflejada en el espejo.

Eberhard se lo pensó durante un segundo, aunque sabía de antemano la respuesta.

—No. No me importa; al contrario, me excita. Siempre y cuando él se mantenga al otro lado del espejo.

Karol observó deslumbrado la sonrisa que Sofía le dedicó a Eberhard. La vio caminar, altiva y sensual como la diosa que era, para, sin dudarlo un segundo, montarse sobre la polla de su marido y cabalgarle extasiada mientras él seguía empalado por el falo de la estatua.

Los observó hacer el amor, absortos el uno en la otra, como si fueran lo único que de verdad importaba en el universo. Contempló fascinado los besos y caricias que se prodigaron. Escuchó encandilado los jadeos que escaparon de sus labios y los susurros extasiados con los que se declararon amor eterno. Admiró la hechicera voluptuosidad de Sofía mientras montaba a Eberhard. Y sintió sus propios sentidos colapsarse cautivados por el sublime aroma que emanó de ambos cuando el éxtasis estalló en ellos, barriendo de sus rostros toda emoción excepto el amor que se profesaban.

Retrocedió tambaleante hasta que sus pantorrillas chocaron contra la suave piel del diván. Se derrumbó sobre este e, ignorando la erección que le provocaba el aroma de la pasión desatada tras el espejo, se encogió sobre sí mismo y abrazándose las piernas, apretó la cara contra sus rodillas dobladas. Cerró los ojos con fuerza, y se meció adelante y atrás con rítmico vaivén, decidido a expulsar de su mente el aborrecido anhelo que le hacía desear lo que se había propuesto rechazar.

Sexo, sí. De su propia mano. En cualquier circunstancia o escenario.

Amor, no. Nunca más. No más devoción desdeñada.

Continuó meciéndose abstraído hasta que la esencia de la pasión que había emanado de la pareja se diluyó, quedando solo el aroma a desesperación que procedía de él mismo. Se incorporó lentamente hasta quedar sentado y miró al espejo, receloso de lo que pudiera ver al otro lado. Su amigo y su esposa estaban en la cama, dormidos, con sus cuerpos entrelazados. Sus rostros relajados mostraban el amor dichoso e imperecedero que sentían el uno por el otro.

Sacudió la cabeza con desdén y, sin molestarse en vestirse, abandonó la estancia. Atravesó presuroso la iluminada galería, ascendió de dos en dos los escalones de piedra de la torre y, al llegar a la balconada que daba a su reducto privado, marcó la clave que desactivaba la alarma e introdujo la mano en la hendidura que le permitiría el paso. Un punto rojo apareció en el panel metálico, denegándole la entrada. Apretó los dientes y exigió a su mano que dejara de temblar, el escáner no podía leer sus huellas dactilares si no se mantenía inmóvil. Dos intentos después escuchó el pitido que le indicaba que todo estaba correcto. Abrió la puerta de un empujón, demasiado impaciente para soportar su lenta apertura, y entró en el infierno.

Las paredes pintadas de rojo le rodearon, aportándole la determinación que momentos atrás le había sido esquiva. Atravesó la estancia, abrió cada ventana y, situándose en el punto en el que las corrientes de aire confluían, cerró los ojos, extendió los brazos en cruz e inspiró con fuerza una y otra vez hasta llenar sus pulmones con el cálido aire que transportaba la brisa de la tarde. Cuando hubo exorcizado de sus sentidos el absurdo anhelo que le instaba a desear lo aborrecido, abrió los ojos y se recreó en aquello que lo rodeaba. Las paredes rojas. El suelo y los marcos de las ventanas negros. El techo forrado de espejos. La puerta de madera sin pulir tras la que se escondía el armario, la mesilla y el escritorio de ébano... su cama. Ese era su mundo. Creado a su imagen y semejanza, y era lo único que deseaba. Rojo rabia. Negro dolor. Roja pasión. Negra muerte.

Se tumbó de espaldas sobre la cama, las suaves sábanas de seda acariciaron su cuerpo desnudo. No anhelaba otras caricias que no fueran las suyas propias. Se aferró con una mano a los barrotes de hierro forjado que conformaban el cabecero y llevó la otra hasta su sexo. Y, sin apartar la mirada de los espejos del techo que le devolvían su reflejo, se acarició con lentitud hasta que su flácida polla se irguió imponente sobre su pubis. Separó las piernas para poder observarse mejor y, cerrando con fuerza la mano alrededor de la barra de hierro a la que se mantenía anclado, comenzó a masturbarse con brusquedad.

Había una sola persona en el mundo que podía corresponder a su amor, y era él mismo. No debía olvidarlo. No debía anhelar lo que jamás podría tener.

Confianza

Acababa de caer la noche cuando Sofía y Eberhard atravesaron de nuevo la puerta de la torre. Eberhard caminó decidido hacia el hombre que estaba sentado en el sofá rojo, llevando de la mano a su, repentinamente, tímida esposa. Al llegar hasta él, esbozó una amplia sonrisa y se sentó en un sofá cercano, colocando a su mujer sobre su regazo.

Karol arqueó una ceja, extrañado al comprobar que, en contra de sus suposiciones, el alemán no parecía dispuesto a abandonar el Templo con un simple y somero adiós en los labios. ¡Qué acto más inesperado! ¿Por qué Eberhard se molestaba en permanecer allí cuando ya había conseguido lo que deseaba? No era necesario que le diera unos minutos de conversación para seguir teniendo acceso al Templo, y ambos lo sabían. ¿Qué le motivaba a buscar su compañía aun siendo innecesario para la consecución de sus deseos?

Sofía miró al pensativo hombre que había frente a ella, y se removió incómoda sobre el regazo de su marido.

—¿Queréis que os prepare algo de beber? —musitó poniéndose en pie azorada. Cualquier excusa que le permitiera alejarse de su anfitrión era bienvenida. Una cosa era burlarse del extraño amigo de Eberhard cuando estaba furiosa, y otra muy distinta mirarle a la cara después de lo que habían estado haciendo durante horas en el sótano de su casa.

—Un refresco estaría bien —solicitó Eberhard.

—¿Piensas ponerme arsénico en la bebida? —le preguntó Karol divertido.

—Solo si me dices dónde lo tienes guardado —replicó ella esbozando una tímida sonrisa.

—Entonces no te lo diré. Un vodka con hielo, por favor.

—Ahora mismo lo preparo —aceptó ella caminando presurosa hacia el lugar donde pensaba ocultarse hasta que se recuperara de su ataque de pusilanimidad.

—Sofía... —la llamó Karol. Ella se giró para mirarle interrogante—. Eres muy hermosa. Una verdadera diosa —declaró afirmando lentamente con la cabeza para dar más rotundidad a sus palabras.

Sofía no respondió, pero una enorme y satisfecha sonrisa se dibujó en sus labios a la vez que erguía la espalda y alzaba la barbilla. Un instante después sacudió con coquetería su larga melena y caminó hacia el mueble bar moviendo sinuosa las caderas, sin que le importara que el minivestido blanco ascendiera por sus muslos, permitiendo a los presentes ver partes de su anatomía que deberían permanecer ocultas.

—Gracias —murmuró risueño Eberhard. Karol le restó importancia con un gesto de su mano—. Por cierto, te he pillado en una mentira —comentó divertido.

—¿Yo? Te equivocas, nunca miento —replicó frunciendo el ceño. Jamás mentía, excepto a sí mismo.

—Dijiste que tenías cosas más importantes que hacer que mirarnos a través del espejo —le recordó el alemán.

—No, en absoluto. Dije que no pensaba pasar toda la noche observando unas cortinas, y que había muchas cosas mejores que mirar en las que dedicar mi tiempo. Y así ha sido.

—Juegas con las palabras.

—Te lo advertí cuando te conocí.

—Me alegra que nos miraras. Sofía es feliz... y yo también.

—Por favor, no sigas... o mi corazón estallará de gozo ante tanta felicidad —exclamó Karol irónico.

—Si vas a reventar, por favor, hazlo en otro lado; me molesta muchísimo la visión de la sangre —comentó Sofía burlona llevando hasta ellos una bandeja con tres vasos. La dejó sobre una pequeña mesita y, tras dudar apenas un instante, se acercó hasta Karol y depositó un cariñoso beso en sus labios—. Gracias por todo —susurró antes de separarse de él.

Karol parpadeó aturdido, miró al matrimonio y, antes de caer en la tentación de hacer o decir algo que abriera las compuertas de su corazón, se levantó del sillón rápidamente y sacó su sempiterno pañuelo rojo impregnado en Chanel N.º 5.

—Se está haciendo de noche —musitó—. Toma, es una copia de las llaves del Templo —afirmó tendiéndoselas a Eberhard—. Esperaré impaciente vuestro regreso —se despidió dirigiéndose a la torre.

—Karol —le llamó Eberhard yendo hacia él—. Solo contéstame a unas preguntas: ¿por qué lo has hecho? ¿Qué ganas con ello?

—No entiendo a qué te refieres —respondió Karol, fingiendo una indolencia que no sentía.

Se giró y comenzó a teclear el código numérico que le llevaría a la seguridad de su infierno privado.

—Sí lo sabes —rechazó Eberhard su respuesta a la vez que posaba una mano sobre el hombro del polaco obligándole a mirarle a la cara—. ¿Por qué nos has dado una habitación en tu Templo?

—Ya te lo dije; me excita oler el deseo de los demás, y si además me dejan mirar... —declaró encogiéndose de hombros.

—Sí, pero puedes oler, y mirar, en cualquiera de los mil clubs que hay dedicados al sexo.

—No te quepa la menor duda —aceptó Karol volviendo a girarse hacia la puerta—. Espero veros de nuevo. He disfrutado mucho con vuestra compañía —dijo a modo de despedida.

—No has respondido a mi pregunta —insistió Eberhard colocándose frente a él e impidiéndole escapar—. Te has gastado un montón de dinero en hacer realidad mis fantasías... pero no ha sido solo eso —musitó entornando los ojos—. Has sido paciente con mis desplantes, me has intentado aconsejar y me has ofrecido tu casa cuando pensaba que no tenía ningún sitio al que acudir. ¿Por qué lo has hecho?

—Quién sabe, quizá tengo un corazón filantrópico —resolvió Karol mirándole con fingida indiferencia—. Puede que me guste inflar mi ego pensando que gracias a mí dos enamorados han superado sus dificultades. Tal vez lo que me excita sea montar escenarios distintos. O, quizá, simplemente estoy aburrido y quiero probar cosas nuevas. De todos modos, no es de tu incumbencia —afirmó esquivándole para entrar en la Torre—. Me sentiré honrado si vuelvo a veros —reiteró comenzando a subir las escaleras.

—¿Sabes lo que creo, Karol? —apuntó Eberhard yendo tras él.

—No me interesa en absoluto saberlo —mascculló contrariado. Eberhard le apresó la muñeca con dedos férreos, impidiéndole la huida—. Pero mucho me temo que no me va a quedar otra opción que escucharte, ya que no pareces dispuesto a marcharte sin decir la última palabra —suspiró intentando parecer aburrido.

—Creo que te sientes solo, desesperadamente solo.

—Puedo comprar toda la compañía que quiera —le espetó con los dientes apretados sin mirarle a los ojos.

—Pero no puedes comprar amigos. Y eso es lo que buscas.

—A ti te he comprado —replicó a la defensiva.

—No me has comprado, Karol —rechazó Eberhard sus palabras—. Me has abierto los ojos, obligándome a aceptar que mis fantasías no son la aberración que yo pensaba. Me has instado a confesarle a Sofía lo que escondía en mi interior, y, cuando no lo he hecho, has insistido una y otra vez hasta hacerme entender que no hay nada que deba ocultarle.

—Y no te olvides de la magnífica sesión de sexo en tu santuario privado —le interrumpió Karol esbozando una burlona sonrisa que no llegó a sus atormentados ojos bicolores—. ¡Eso es lo más importante de todo!

—Sí, tu dinero nos ha proporcionado un maravilloso escenario en el que disfrutar de un sexo extraordinario.

—Exacto —le interrumpió Karol—. Creo que deberíamos dejar esta absurda charla para otro momento, se os va a hacer tarde —le despidió intentando soltarse de su agarre.

—Pero —continuó Eberhard haciendo caso omiso a la insistencia de su amigo para que dejara de hablar— ningún escenario, por muy lujoso o maravilloso que sea, hubiera sido suficiente si no me hubieras obligado a enfrentarme a mis miedos y a aceptar mi diferencia y mis gustos sexuales como una parte importante de mí mismo. Creo que te has tomado muchas molestias solo para ver a dos personas follando.

—Quizá.

—¿Sabes lo que pienso?

—Me temo que estoy a punto de descubrirlo.

—No es solo sexo lo que te gusta oler, y mirar.

—¿No?

—No. Quieres ver a tus amigos follando.

—Te equivocas. No quiero ver a mis amigos follando —replicó furioso acercando su rostro al de Eberhard—. No tengo amigos. Soy consciente de que la amistad no se compra, y no pretendo comprar la tuya. ¿Quieres saber por qué lo hago? Está bien, seré sincero. Me gusta oler, y mirar, a dos personas enamoradas practicando sexo. Eso es difícil de encontrar en un club. El sexo es excitante, es divertido, pero no es suficiente. No para mí. Solo el amor lo es. Y ahora... creo que se te está haciendo tarde —le espetó soltándose de su agarre y dando un paso atrás.

—¡Te equivocas! —exclamó Eberhard.

—¿En qué me equivoco? —musitó el polaco enfrentándose de nuevo al alemán.

—La amistad se puede comprar —afirmó Eberhard—. Pero no con dinero. Se compra con gestos amables y también con amargas discusiones que obligan a tu amigo a salir de su burbuja de desesperación. Con comprensión ante sus silencios y lucidez para ver más allá de lo que él muestra —dijo vehemente—. Has comprado mi amistad con respeto y paciencia, con palabras crueles y desafíos —sentenció—. Me voy, soy consciente de que quieres estar solo... pero ten en cuenta una cosa: no lo estás. Tu soledad ha terminado, aquí y ahora. Soy tu amigo.

—Eberhard. —Karol negó con la cabeza, incómodo—. Este regalo... es el más preciado de todos. No permitas que lo fastidie.

—No lo permitiré —le aseguró Eberhard tendiéndole la mano. Karol la aceptó, sonriendo al sentir el fuerte apretón de su amigo.

Karol

Dice que es mi amigo... ¿Debo creerle?

Me asomo a la ventana de mi torre y lo observo caminar junto a su esposa por el sendero de baldosas amarillas. ¿Regresará? Y lo que es más importante. ¿Necesito que regrese? ¿Lo echaré de menos si no lo hace?

Me apoyo en el alféizar y medito la respuesta.

Sí. Necesito que regrese.

Sí. Le echaré de menos si no lo hace.

Doy un paso atrás, otro, mil más hasta que choco contra la pared y mi cuerpo resbala hasta acabar sentado en el suelo.

¿Qué he hecho?

He roto mi promesa de no necesitar a nadie.

¿Por qué lo he permitido?

Me sujeto la cabeza con las manos y cierro los ojos. No quiero verme reflejado en los espejos del techo. No quiero ver mi debilidad expuesta en ellos. No quiero ver la esperanza desfigurando la apática frialdad que me esfuerzo por mantener en mi rostro.

Soy un cobarde.

¿Lo soy?

Me levanto del suelo y camino de nuevo hacia la ventana. No hay nadie en el exterior. Mi inerte jardín de piedras vuelve a estar libre de toda humanidad. Lo prefiero así. Me gusta la soledad. Quiero estar solo. Para siempre.

¿De verdad?

No. Pero es más seguro. Menos doloroso.

Camino en círculos por mi torre hasta que me aburro de escuchar las pisadas de mis pies descalzos. Bajo al salón, observo los sofás que hay esparcidos en él y la enorme mesa de ébano con quince sillas rodeándola. Un inquietante pensamiento se cuela en mi mente. No. No es posible. Sacudo la cabeza y me dirijo a la cocina con rapidez. Contemplo las inmensas cámaras frigoríficas, los múltiples fogones, la vajilla para un ejército de comensales aguardando solitaria en la alacena. Regreso al salón con el corazón latiendo aterrado en mi pecho. Recorro su perímetro abriendo cada puerta que encuentro a mi paso. Habitaciones de invitados ya amuebladas, cuartos de baño, una biblioteca con más libros de los que jamás podré leer. Niego con la cabeza y susurro «es imposible», antes de dirigirme presto a la torre. Desciendo los peldaños de dos en dos hasta llegar a la galería, donde me reciben las puertas de seis santuarios. Uno de ellos, el de Eberhard, ya está entregado. Los otros esperan vacíos hasta encontrar a quien los llene con sus fantasías.

Me detengo inmóvil en mitad del pasillo mientras una estentórea carcajada escapa de mis labios al darme cuenta de aquello de lo que no he sido consciente hasta este mismo instante: he construido una enorme casa para los amigos que siempre me negué a tener y, sobre ella, una torre de piedra en la que vivir aislado de todo lo que no me permito desear.

Subo de nuevo al salón y me siento en mi sillón rojo. Cierro los ojos y profundizo aterrado en lo que se esconde en el interior de mi mente. Me sobresalto al darme cuenta de hasta qué punto he sido un cobarde. Cuando abro los ojos de nuevo he tomado una determinación y sonrío.

Tengo un amigo. Y voy a hacer todo lo posible por conservarlo.

¿Quién lo hubiera imaginado?

Nota de la autora

Existen tantas maneras de entender y disfrutar la sexualidad como personas hay en el mundo. Y quien diga lo contrario miente.

Corría el verano de 2012 cuando una idea comenzó a rondar en mi cabeza con cierta insistencia. Una serie de historias que tuvieran como base distintas formas de disfrutar de la sexualidad. Confluirían todos en un mismo escenario, el Templo, y habría un protagonista omnipresente, Karol, que sería quien nos llevaría de la mano a través de los distintos relatos. Todos estarían relacionados unos con otros, pero también serían independientes, cada uno con su propia pareja (o trío) de protagonistas principales, sus escenarios y su trama específica, que a la vez se iría enmarañando con la historia de Karol.

La falta de tiempo, los libros que estaba escribiendo en ese momento, y, sobre todo, el no saber qué narices iba a hacer yo con varios relatos cortos (aunque no han sido tan breves como pensaba), me hicieron descartar la idea, pero esta nunca se alejó demasiado de mi cabeza. Por eso, cuando mi editor me comentó si me había planteado escribir algún relato corto para publicar en digital la respuesta fue un rotundo «¡sí!». Y, apenas un mes después, comencé a escribir *El origen del deseo*, el relato que da comienzo a esta serie titulada las *Crónicas del Templo*.

Sobre este relato en concreto me gustaría comentaros un par de cosas.

La «obsesión» que afecta a Eberhard existe. No me la he inventado. Pigmalionismo, galateísmo, monumentofilia, agalmatofilia... todas estas palabras (y algunas otras) se refieren, en su sentido más amplio, a la atracción sexual por las estatuas (entre otras representaciones del cuerpo humano, tales como los maniquíes). Las dos primeras denominaciones vienen del mito de Pigmalión, el legendario rey de Chipre. Durante mucho tiempo este buen rey estuvo buscando esposa, pero no encontró ninguna de belleza tan perfecta como requería (era un pelín exquisito). Decepcionado, esculpió una estatua de hermosura sin igual a la que llamó Galatea, y de la que se enamoró.

Por otro lado, permitidme citar a Eric Kandel, neuropsiquiatra y premio Nobel de fisiología y medicina (2000): «Cuando te enamoras de una obra de arte estimulas alguna de las mismas vías de la dopamina que se activan por el amor hacia otra persona». Interesante, ¿verdad?

Con respecto a Karol... ¿Qué puedo decir? Este hombre es un misterio incluso para mí. Oh, sí, sé los hechos que acontecieron en su pasado y le hicieron ser como es. También creo intuir hacia dónde se dirige su futuro, pero, como me pasa con todos mis personajes, solo él tendrá la última palabra sobre lo que ocurrirá. Si os soy sincera, Karol me tiene fascinada. Desde el momento en que comenzó a susurrarme su historia supe que me iba a sorprender día a día. Y así ha sido.

Quizá os preguntéis de dónde he sacado la «afición» de Karol por los olores. El sexo es pura química. Los olores, también. Incluso aquellos que no somos capaces de asimilar pero que están ahí, a nuestro alrededor, mandando señales inequívocas a nuestro cerebro, al hipotálamo más exactamente. Está científicamente comprobado que las feromonas sexuales que emiten nuestros cuerpos cuando estamos excitados —o cuando nos hemos echado una colonia de feromonas, aunque eso es un caso aparte— despiertan cierta atracción sexual en los que nos rodean.

Por otro lado, siempre me han fascinado las grandes «narices», superhéroes olfativos que gozan de un afinado olfato y que lo educan hasta ser capaces de detectar cada una de las esencias que componen un perfume o de asimilar los aromas que crecen en un buen vino.

Todos somos capaces, en mayor o menor grado, de oler la excitación en nuestras parejas. Asimismo, todos somos vulnerables al efecto de las feromonas. Pero ¿qué pasaría si una de estas grandes «narices», en vez de especializarse en el vino o los perfumes, se decantara por el olor sexual? Y si, además, pudiera oler los distintos matices de aquellos que están excitados y darles un sentimiento: excitación, vergüenza, turbación, deseo... ¿amor?

La respuesta que mi imaginación dio a estas preguntas es Karol.

Por cierto, la «obsesión» de Karol por los olores tiene un nombre: barosmia. Y no, al igual que la de Eberhard, tampoco me la he inventado. La barosmia es, de manera muy general, la excitación sexual desencadenada por el sentido del olfato.

Aunque el que Karol se excite explícitamente con el olor de la excitación sí es cosa mía.

Noelia Amarillo

Nació en Madrid el 31 de octubre de 1972. Creció en Alcorcón (Madrid) y cuando tuvo la oportunidad se mudó a su propia casa, en la que convive en democracia con su marido e hijas y unas cuantas mascotas. En la actualidad trabaja como secretaria en la empresa familiar, disfruta cada segundo del día de su familia y de sus amigas y, aunque parezca mentira, encuentra tiempo libre para continuar haciendo lo que más le gusta: escribir novela romántica.